춘사변인석기념총서 23

# 빅데이터 분석을 위한
# 교육 분야에서의 기계학습 응용

## Machine Learning Applications
## in Education

변해원 지음

**변해원**

아주대학교 의과대학 예방의학교실에서 치매 고위험군 예측을 주제로 이학박사(DrSc)를 취득하였고, 현재 인제대학교 메디컬 빅데이터학과 / BK21 대학원 디지털항노화헬스케어 학과 교수 및 인제대학교 부속 보건의료 빅데이터 연구소 센터장으로 재직하고 있다. 2010년부터 2023년까지 International Psychogeriatrics 등 국내외 저명 학술지에 400여 편의 논문을 발표하였고, 파킨슨 치매 중등도 예측장치 등 100여 건의 지식재산(특허)을 발명하였다. 또한, 스위스 뇌과학회 학술대회, 일본 국제융합과학학술대회 등 다수의 국내외 학술상을 수상하였다. SCIE급 저널인 세계정신과학에서 편집위원으로 활동하고 있으며, 2019년부터는 한국연구재단에서 주관하는 일반인 대상 과학강연인 '토요과학 강연회의 강연자로 참여하고 있다. 저서로는 「노년기 건강 습관과 치매」 등이 있다.

# 교육 분야에서의 기계 학습 응용

지은이  변해원 (인제대학교 교수 / 인제대학교 부속 보건의료 빅데이터 연구소 센터장)

발  행  2024년 03월 22일
펴낸이  한건희
펴낸곳  ㈜ BOOKK
출판사등록  2014.07.15.(제2014-16호)
주  소  서울특별시 금천구 가산디지털1로 119 SK트윈타워 A동 305호
전  화  1670-8316
이메일  info@bookk.co.kr

ISBN  979-11-410-7536-1

값 23,000원

www.bookk.co.kr

# 교육 분야에서의
# 기계 학습 응용

## Machine Learning
## Applications in Education

변해원 (인제대학교 교수 /
인제대학교 부속 보건의료 빅데이터 연구소 센터장)

BOOKK

# 목 차

## 들어가며

교육 데이터 마이닝(Educational Data Mining, 이하 EDM)은 교육 데이터에 데이터 마이닝 기술과 방법론을 적용하여 교육 과정의 다양한 측면에 대한 통찰력을 얻고 교육 결과를 개선하는 혁신적인 실천입니다. 이 분야는 학생들의 학습 방식, 교수 설계, 교육 성과 평가 및 교육 정책 형성에 이르기까지 교육 과정 전반에 걸쳐 중요한 지식을 제공합니다. 본 책에서는 EDM의 기본 개념부터 시작하여, 교육 데이터의 출처, 분석 기법, 그리고 이를 통해 얻을 수 있는 통찰력과 실제 적용 사례에 이르기까지 광범위한 주제를 다룹니다.

최근 몇 년간 EDM은 교육 분야에서 중요한 발전을 이루었습니다. 공정성과 윤리적 고려를 포함한 혁신적인 접근 방식이 개발되었으며, 이는 교육자, 연구자, 정책 입안자가 학습 과정과 학생들의 성과에 대한 중요한 통찰력을 얻을 수 있게 하였습니다. 또한, 교육 데이터 마이닝은 근거 기반 의사 결정을 지원하고 교육 결과를 개선하는 데 중요한 기여를 하고 있습니다.

EDM은 학생 기록, 시험, 설문조사, 온라인 상호작용 등 다양한 교육 데이터 소스를 활용합니다. 이 데이터는 구조화된 형태(예: 성적, 인구 통계 정보) 또는 비구조화된 형태(예: 포럼 채팅, 에세이에 대한 코멘트)일 수 있습니다. EDM은 이러한 데이터에서 중요한 패턴, 추세 및 정보를 추출하기 위해 통계 분석, 기계 학습, 데이터 시각화, 예측 모델링과 같은 다양한 데이터 마이닝 기술을 사용합니다.

본 책은 EDM의 목표를 달성하기 위한 다양한 방법론을 소개합니다. 이는 교육에서 근거 기반 의사 결정을 장려하고, 교육 실천을 개선하며, 학생들의 학습 결과를 개선하는 데 중점을 둡니다. 또한, 개인화된 학습, 교육 정책 및 계획에 대한 영향, 윤리적 고려사항, 데이터 품질과 통합의 도전 과제 등 EDM의 다양한 적용 분야와 관련된 중요한 주제들을 다룹니다.

마지막으로, 이 책은 EDM이 교육 연구 방법론의 발전에 기여하고, 교육 분야에서 지속적인 발전을 촉진하는 방법을 탐구할 것입니다. 여러분들은 데이터 마이닝 방법과 통계 분석을 사용하여, 연구자들은 광범위한 교육 데이터 세트를 조사하고, 가설을 개발하며, 연구 주제의 맥락에서 이를 테스트할 수 있습니다. 이러한 기법을 통해서 여러분들은 EDM을 사용하여 전통적인 연구 방법론을 보완하고, 실제 교육 환경에서 풍부하고 완전한 통찰력을 제공할 수 있습니다.

요약하면, EDM은 교육 분야에서 중요한 역할을 하며, 교육 과정의 이해, 교육 실천의 개선, 그리고 교육 결과의 향상에 기여합니다. 이 책은 EDM의 기본 원리와 실제 적용 사례를 통해 교육자, 연구자 및 정책 입안자가 교육 데이터를 효과적으로 활용하여 교육의 질을 개선하는 방법을 이해하는 데 도움을 주는 것이 최종 목표입니다.

1장. 소개

## 1.1 서문

교육 데이터 마이닝(Educational Data Mining, EDM)은 교육 데이터에 데이터 마이닝 기술과 방법론을 적용하여 교육 분야에 관련된 통찰력을 얻고 정보에 기반한 판단을 내리는 과정입니다. 최근 몇 년 동안 교육 데이터 마이닝(EDM) 분야에서는 다음과 같은 몇 가지 새로운 접근 방식이 등장했습니다.

**학습자 행동에 대한 통찰:** 학습 분석은 학습 환경뿐만 아니라 학습 자체를 개선하기 위해 학습자와 그들이 학습하는 환경에 대한 데이터의 측정, 수집, 분석 및 보고에 중점을 둡니다. 이는 교육 데이터에서 패턴과 추세를 찾아내어 교육자들이 데이터에 기반한 결정을 내릴 수 있도록 하는 데이터 마이닝 및 통계 방법의 사용을 포함합니다.

**예측 모델링:** 기계 학습 알고리즘을 사용하여 학생 성과, 중

퇴율 또는 학습 장애와 같은 다양한 교육 결과에 대한 예측을 생성하는 방법입니다. 성적, 출석, 참여 수준과 같은 과거 데이터를 살펴보면서 예측 모델은 패턴을 식별하고 미래의 학생 성과나 행동에 대한 예측을 제공할 수 있습니다.

**추천 시스템:** 추천 시스템은 데이터 마이닝 기술을 사용하여 학습자에게 맞춤형 제안을 제공합니다. 이 시스템들은 학생의 관심사, 선호하는 학습 스타일, 이전 성과 등의 학생 정보를 분석하여 각 학생의 특정 요구에 맞는 적절한 학습 자료, 과정 또는 활동을 제안합니다.

**사회 네트워크 분석:** 교육 시스템 내의 학생, 교사 및 기타 이해관계자들 사이에 존재하는 사회적 상호작용과 연결을 조사하는 것입니다. 교육 기관의 환경 내에 존재하는 사회적 구조와 역학에 대한 연구를 통해, 교육자들은 협력의 패턴, 정보의 흐름, 사회 공동체에 대한 영향 등에 대한 통찰력을 얻을 수 있습니다. 이러한 결과는 교수 전략과 교육 개입의 개발에 활용될 수 있습니다.

**자연어 처리:** 자연어 처리(Natural Language Processing, NLP) 기술은 학생 에세이, 토론 포럼의 발언, 피드백에 대한 코멘트와 같은 텍스트 데이터 분석에 점점 더 많이 사용되고 있습니다. NLP의 사용은 대량의 텍스트에서 관련 통찰력을 추출하는 데 도움이 될 수 있으며, 이는 주제 식별, 감정 분석 또는 학생 글쓰기의 품질 평가를 포함할 수 있습니다.

**교육에서의 게임화 및 비디오 게임 사용:** 게임화는 교육 환경에 게임 디자인의 요소와 개념을 도입하여 학생의 참여와 동기를 높이는 실천입니다. 이 범주에는 교육적 초점을 가진 비디오 게임이 포함됩니다. 게임화된 학습 플랫폼이나 교육 게임에서 데이터를 수집 및 분석함으로써, 교사는 학생들의 행동, 학습 진행 상황 및 추가 지원이 필요한 영역에 대한 통찰력을 얻을 수 있습니다. 이러한 게임과 플랫폼은 디자인에서 엔터테인먼트와 교육의 요소를 결합합니다.

**교육 데이터에 대한 정보 시각화:** 교육 데이터를 교육적이면서도 접근하기 쉬운 방식으로 제시하는 과정에서 데이터 시각화 기술의 적용은 매우 중요합니다. 고급 시각화 도구와 방법론의 지원으로 데이터 기반의 결정을 훨씬 더 간단하게 만들 수 있습니다. 이러한 도구와 방법론은 교육자와 기타 이해관계자들이 교육 데이터 내에 존재하는 복잡한 패턴, 추세 및 연결을 더 잘 이해할 수 있게 해줍니다.

**감정 기반 컴퓨팅**: 개인의 감정 상태, 태도 및 행동을 평가함으로써 학습 과정의 정서적 구성요소에 대한 통찰력을 얻는 과정입니다. 얼굴 표정 분석, 감정 분석 또는 생리학적 평가와 같은 기술을 사용하면 교육자가 학생들의 감정 반응을 더 잘 이해하고 적절하게 치료를 맞춤화할 수 있는 능력을 갖출 수 있습니다.

**개인화된 학습 경로**: 개인화된 학습 경로는 데이터 마이닝 기술을 사용하여 각 학생에게 유연하고 개인화된 교육 경험을 제공합니다. 학생 데이터를 분석함으로써 개인화된 학습 시스템은 교실에서 사용되는 콘텐츠, 자료 및 활동에 동적으로 조정을 가하여 각 학생의 독특한 요구를 더 잘 충족시킬 수 있습니다.

**피드백 감정 분석 기법:** 감정 분석 기법은 학생들이나 교수진이 제공한 피드백과 평가를 분석하는 데 사용될 수 있습니다. 교육자가 학생들의 피드백을 감정적으로 자동 평가하게 함으로써 성장 영역을 파악하고, 반복되는 장애물을 인식하며, 초기 단계에서 잠재적 문제를 감지할 수 있습니다.

**조기 경보 시스템:** 조기 경보 시스템은 데이터 마이닝 및 예측 분석을 사용하여 학업 실패, 중퇴 또는 기타 문제의 위험이 있는 학생들을 식별합니다. 이러한 학생들은 조기 개입을 위해 플래그가 지정됩니다. 조기 경보 시스템을 통해 출석, 성적, 행동 또는 참여 데이터와 같은 다양한 지표를 모니터링함으로써, 이 시스템들은 교사와 기타 이해관계자들이 사전에 경고를 받고 위험에 처한 아이들에게 맞춤형 지원을 제공할 수 있도록 할 수 있습니다.

**인지 모델링:** 인간의 인지 과정과 학습 행동을 시뮬레이션하는 계산 모델을 구축하는 것이 인지 모델링의 주요 초점입니

다. 교육 데이터와 인지 모델을 결합함으로써, 연구자들은 학생들이 정보를 어떻게 흡수하고, 결정을 내리며, 문제를 해결하는지에 대한 통찰력을 얻을 수 있습니다. 이러한 통찰력은 교수 전략과 치료의 창출에 영향을 줄 수 있습니다.

**개인 정보 보호 기법:** 교육 데이터 마이닝에서 학생 정보의 기밀성과 안전을 유지하면서 데이터 분석을 수행하고 데이터로부터 통찰력을 얻을 수 있는 가능성을 제공하는 기법에 초점을 맞춥니다. 차등 프라이버시, 안전한 다자간 계산, 연합 학습과 같은 기법을 사용하면 참가자들의 개인 정보를 위험에 빠뜨리지 않고 데이터 분석을 수행할 수 있습니다.

**다중 모달 학습 분석:** 다양한 데이터 유형(예: 텍스트, 비디오, 오디오, 센서 데이터)의 통합 및 분석을 통해 학습 과정에 대한 포괄적인 이해를 얻는 것입니다. 다양한 데이터 소스를 검토함으로써, 교사는 학생 참여, 협력 및 학습 성과 수준에 대해 상당한 새로운 통찰력을 얻을 수 있습니다.

**사회 및 감정 학습(SEL)을 위한 데이터 과학 및 분석:** SEL 분석의 주요 초점은 자기 인식, 자기 관리, 사회적 인식, 관계 기술, 책임감 있는 의사 결정과 같은 학습의 사회적 및 감정적 측면과 관련된 데이터의 평가입니다. 교육자는 사회 및 감정 학습 데이터와 교육의 다른 영역에 대한 데이터를 통합함으로써 학생들의 학업 성공과 웰빙에 대한 사회적 및 감정적 요인의 영향에 대한 통찰력을 얻을 수 있습니다.

**전이 학습:** 한 교육 환경 또는 도메인에서 얻은 지식과 모델을 다른 교육 환경 또는 도메인에 적용하는 과정입니다. 이전에 구축된 모델과 통찰력을 사용함으로써 분석 과정을 가속화할 수 있으며, 이는 연구자와 교육자 모두에게 유익할 수 있습니다.

**비지도 학습:** 비지도 학습의 목표는 사전에 정의된 레이블이나 결과에 의존하지 않고 교육 데이터에서 패턴과 연결을 발견하는 것입니다. 다양한 연구 방법을 사용하여 이러한 패턴과 연결을 발견할 수 있습니다. 클러스터링 알고리즘, 연관

규칙 마이닝, 차원 축소 기법과 같은 비지도 학습 방법은 교육 정보에서 숨겨진 패턴과 구조를 찾는 데 사용될 수 있습니다.

**개인화된 평가 및 시험:** 적응형 테스트나 평가에 대한 학생의 응답에 따라 시스템이 질문의 난이도와 내용을 동적으로 조정합니다. 적응형 시스템은 학생의 응답과 성과 데이터를 분석하여 개인의 지식, 기술 및 학습 성장을 정확하게 평가할 수 있는 맞춤형 평가를 제공할 수 있습니다.

**장기간에 걸친 교육 데이터 검토:** 상당한 시간 동안 축적된 교육 데이터를 검토하는 실천입니다. 이를 통해 성장 및 발전의 패턴, 추세 및 궤적을 조사할 수 있습니다. 교육자가 학생 데이터에 대한 장기 분석을 수행함으로써, 개입의 효과, 교육 경험의 장기적 영향 및 시간이 지남에 따라 학생 결과에 영향을 미치는 요인에 대한 통찰력을 얻을 수 있습니다.

**개방 교육 자료(OER) 분석 도구:** OER 분석 분야는 온라인 교과서, 비디오 또는 상호 작용 학습 자료와 같은 개방 교육 자료의 사용으로 제공되는 데이터 분석에 초점을 맞춥니다. OER 사용 패턴, 참여 지표 및 학습 성과에 대한 연구를 수행함으로써, 교육자는 개방 교육 자료의 효과와 학생들이 이러한 자료를 사용함으로써 경험하는 학습에 대한 영향에 대한 통찰력을 얻을 수 있습니다.

**공정성과 윤리적 고려를 모두 고려하기:** 교육 데이터 마이닝의 실천이 더욱 인기를 얻으면서 윤리적 문제를 해결하고 데이터 분석이 공정한 방식으로 수행되도록 하는 데 집중하는 관심이 증가하고 있습니다. 교육 데이터 마이닝 절차가 모두에게 개방적이고, 책임감 있으며, 공정하도록 보장하기 위해 지속적으로 새로운 방법이 개발되고 있습니다. 공정성을 인식하는 알고리즘, 윤리 규범, 편향 탐지 및 완화는 최근 몇 년 동안 등장한 혁신적인 접근 방식 중 일부입니다.

이러한 현대적 기술을 교육 데이터 마이닝에 적용함으로써,

교육자, 연구자 및 정책 입안자는 학습 과정, 학생들의 성과 및 교실에서 사용되는 실천에 대해 중요한 통찰력을 얻을 수 있을 것입니다. 교육 데이터 마이닝의 실천은 지속적으로 발전하고 있으며, 이제 데이터를 복잡한 분석 방법과 결합하여 근거 기반 의사 결정 및 교육 결과 개선에 상당한 기여를 하고 있습니다.

## 1.2 교육 데이터 마이닝(EDM)의 정의

교육 데이터에 데이터 마이닝 전술과 방법론을 적용하여 통찰력을 얻고 교육 결과를 개선하는 실천을 "교육 데이터 마이닝" 또는 줄여서 "EDM"이라고 합니다. 이 과정은 대규모 교육 데이터 세트의 수집, 분석 및 해석을 필요로 하며, 이는 학생 성과 데이터, 학습 관리 시스템에서의 정보, 클릭스트림 데이터 및 기타 관련 정보를 포함할 수 있습니다.

EDM은 통계 분석, 기계 학습, 데이터 시각화, 예측 모델링과 같은 데이터 마이닝 기술을 사용하여 교육 데이터에서 중요한 패턴, 추세 및 정보를 추출합니다. 이 연구의 목적은 학생들의 학습, 교수 활동의 설계, 교육 성과의 평가 및 교육 정책의 형성과 같은 교육 과정의 여러 측면에 대한 지식을 얻고 그러한 영역에서 개선을 하는 것입니다.

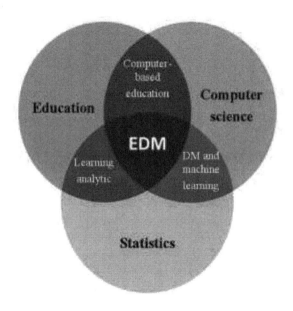

그림 1.1 교육 데이터 마이닝의 개념

교육 데이터의 연구를 통해, EDM은 학생 행동의 패턴을 발견하고, 학습 결과에 영향을 미치는 요인을 식별하며, 학생 성과를 예측하고, 교수법을 적용시키며, 교육자와 교육 이해관계자들에게 행동할 수 있는 지식을 제공하는 데 도움을 줄 수 있습니다. 이는 위험에 처한 것으로 간주되는 학생들을 식별하고, 적응형 개입을 처방하며, 교육 과정 설계를 최적화하고, 교육 개입 또는 개입의 효과를 평가하는 데 기여할 수 있습니다.

**데이터의 출처 살펴보기:** EDM은 학생 기록, 시험, 설문조사, 온라인 상호작용, 학습 관리 시스템, 교육 소프트웨어 및 기타 관련 소스를 포함한 다양한 교육 데이터 소스를 사용합니다. 이 데이터는 설정에 따라 구조화된 데이터(예: 성적 또는 인구 통계 정보) 또는 비구조화된 데이터(예: 포럼 채팅 또는 에세이에 대한 코멘트)일 수 있습니다.

**데이터 분석 기법:** EDM은 수집된 교육 데이터에서 관련 결론을 도출하기 위해 다양한 데이터 분석 방법론을 사용합니

다. 이 범주에는 통계 분석, 클러스터링, 분류, 연관 규칙 마이닝, 순차 패턴 마이닝, 텍스트 마이닝 및 소셜 네트워크 분석 등 다양한 방법론이 포함됩니다. 이러한 기법을 사용하면 데이터 내의 패턴, 상관관계 및 추세를 더 쉽게 인식할 수 있어야 합니다.

**EDM의 목표:** 교육에서 근거 기반 의사 결정을 장려하고, 교육 실천을 개선하며, 학생들의 학습 결과를 개선하는 것이 EDM의 주요 목표입니다. 교육 데이터 마이닝(EDM)의 목적은 교육 데이터의 연구를 통해 실행 가능한 통찰력을 제공하는 것입니다. 이러한 통찰력은 교육 개입, 교육 과정 설계, 교수 기법 및 학생 지원 시스템을 안내하는 데 사용될 수 있습니다.

## 1.3 교육에서 EDM(Education Data Mining)의 중요성

교육 분야를 포함한 다양한 영역에서 DEM은 빠르게 확산되고 있습니다. 교육 환경에서 EDM을 사용함으로써 학생들은 다양한 이점을 얻을 수 있으며, 그들이 가지는 교육 경험의 전반적인 질이 향상될 수 있습니다. 교육 맥락에서 EDM 사용의 중요한 함의와 이점은 다음 목록에 개요되어 있습니다:

**격려와 설득:** 교사들이 수업 계획에 EDM을 포함시키면, 학생들에게 흥미롭고 동기를 부여하는 교실 환경을 만들 수 있습니다.

**기억력 및 회상 향상:** 여러 연구에 따르면, EDM을 사용하는 것은 기억하고 정보를 회상하는 능력에 긍정적인 영향을 미칠 수 있습니다. 학생들이 이러한 형식의 교육 자료에 노출될 때, 그들은 정보를 기억하고 필요할 때 회상할 수 있는 더 나은 기회를 가집니다.

**감각을 통한 지식 습득:** 시각적 요소를 사용하는 것은 청각 경험을 향상시킬 수 있습니다. 이러한 다감각 학습 방법을 사용하면 정보를 소화하는 능력뿐만 아니라 학습 경험을 더 몰입감 있고 기억하기 쉬운 것으로 만들 수 있습니다.

**감정적 연결:** 교육자들이 교실에서 EDM을 사용할 때, 그들은 학생들의 학습을 더 효과적으로 지원하고 학생들의 감정적 자아를 참여시킬 수 있습니다. EDM을 통해 자료에 대한 감정적 연결을 구축할 때, 학생들은 이해를 깊게 하고, 다른 사람들에 대한 공감 능력을 향상시키며, 학습에 대한 긍정적인 태도를 촉진할 수 있습니다.

**창의력 및 개인 표현 촉진:** EDM은 창의적인 추구와 개인적 표현에 대한 강조로 잘 알려져 있습니다. 교육 분야에 EDM을 적용할 때, 학생들은 창의적으로 생각하고, 자신의 예술적 재능을 탐구하며, 독특한 방식으로 자신의 견해를 표현할 수 있는 기회를 갖게 됩니다.

**팀워크 및 협력의 중요성:** EDM을 통해 참가자들은 팀 환경에서 효과적으로 작업할 수 있는 능력을 향상시키고, 다른 사람들과 협력하며 의사소통 기술을 개발할 수 있습니다.

그림 1.2 교육 데이터 마이닝의 주요 키워드

## 1.4 교육에서 EDM(Education Data Mining)의 이점

**기술 문해력:** EDM과 교육 시스템이 통합될 때, 학생들은 기술 문해력을 향상시키고 디지털 문해력을 향상시킬 수 있으며, 디지털 시대에서 살아가는 데 준비를 더 잘 할 수 있습니다.

**개인화된 학습:** 전자 문서 관리 시스템은 개인의 특정 필요와 선호에 맞게 교육 경험을 맞춤화하고 조정할 수 있는 가능성을 제공합니다. 교사들은 수업 계획에 관련된 EDM을 포함시키고 수업 계획에 추가함으로써 학생들의 관심사와 선호도와 일치하는 교육 내용을 맞춤 설정할 기회를 가집니다. 이러한 개인화된 접근 방식은 학생들에게 가르치는 자료와 더 강한 연결감과 관련성을 제공함으로써 학생 참여를 증가시킬 수 있는 잠재력을 가지고 있습니다.

**집중력 향상:** EDM은 학생들이 학습 자료에 오랜 시간 동안 참여하고 집중할 수 있는 능력을 증가시킬 수 있습니다.

**다양한 학문 분야 간의 통합:** EDM은 다양한 학문 분야에 쉽게 적용될 수 있으며, 물리학, 역사, 문학, 언어와 같은 분야에서 이전에 가르친 개념을 강화하는 도구로 사용하는 것이 모든 이 분야에 유익할 수 있습니다. 교사들이 EDM을 다학제 프로젝트와 과정에 포함시킬 때, 그들은 학생들이 공부하는 주제에 대한 포괄적인 이해를 얻고 다양한 학문 분야 간의 경계를 넘어서는 연결을 만드는 데 도움을 줄 수 있습니다.

**성능 및 프레젠테이션 기술:** EDM에서 학생들은 다양한 맥락에서 자신의 성능 및 프레젠테이션 기술을 향상시킬 기회를 갖습니다. 이러한 모든 특성은 교실 밖의 다양한 삶의 영역에서 가치가 있습니다.

**교육에 기술 통합:** EDM은 그것의 적응성 덕분에 다양한 교육 기술 도구의 통합과 잘 어울리는 분야입니다. 가상 현실(VR), 증강 현실(AR), 또는 상호 작용하는 애플리케이션과 같

은 다른 기술과 결합될 때, 몰입감 있고 참여적인 학습 환경을 만들 수 있습니다. 이러한 통합을 통해 학생들은 실제적이고 참여적인 방식으로 주제를 배울 수 있으며, 이는 학생들의 기술적 재능과 디지털 문해력의 발전에 기여합니다.

## 1.5 교육 환경에서의 데이터 수집

교육 환경에서 "데이터 수집"이란 학생, 교사, 그리고 전체 교육 환경에 대한 정보를 획득하고 평가하는 과정을 의미합니다. 이는 학생들의 학업 성취도를 판단하고, 교육 프로그램을 분석하며, 의사 결정 과정에 피드백을 제공하는 데 있어 필수적인 구성 요소입니다. 다음은 교육 맥락에서 데이터를 수집하는 일반적인 방법과 그 목적에 대한 목록입니다:

**시험:** 교육 기관은 학생들의 학습 성과를 모니터링하고, 학생들이 개선할 수 있는 영역을 식별하며, 사용하는 교수 전략을 형성하기 위해 다양한 시험을 통해 데이터를 수집합니다. 이 범주에는 표준화된 시험, 형성 평가 및 총괄 평가, 성과 활

동, 관찰 등이 포함됩니다.

**출석 및 등록 데이터:** 학교는 출석 추세를 추적하고, 만성 결석을 판별하며, 요구 사항 준수를 확인하기 위해 학생들의 출석 기록과 등록 정보를 수집합니다. 이는 추가적인 지원이나 개입이 필요한 학생들을 식별하는 데 도움이 됩니다.

**인구 통계 데이터:** 학생의 인종, 민족, 성별, 사회경제적 지위, 언어 능력과 같은 인구 통계 데이터를 수집함으로써, 교육 기관은 학생 몸단의 다양성을 평가할 수 있습니다. 이러한 데이터는 학업 성공에서 격차가 있는 곳을 식별하고, 자원을 할당하며, 대상을 맞춘 지원 프로그램을 실행하는 데 사용될 수 있습니다.

**교육 설문조사 및 질문지:** 학생, 교사, 부모로부터 교수 효율성, 학교 분위기, 학생 참여도 및 만족도 등 다양한 이슈에 대한 정보를 수집하기 위해 교육 설문조사와 질문지를 사용할 수 있습니다. 이러한 통계는 다양한 이해관계자의 관점과 경험을 밝혀주는 통찰력을 제공합니다.

**교실 관찰:** 관리자나 연구자가 수행할 수 있는 교실 관찰을 통해 교실 실천, 교수 전략, 학생 행동에 대한 질적 데이터를 수집할 수 있습니다. 이러한 관찰은 계획된 체크리스트로 조직되거나 학습 환경의 전체적인 관점을 포착하기 위해 더 개방적인 방식으로 수행될 수 있습니다. 어느 쪽이든, 목표는 가능한 많은 정보를 수집하는 것입니다.

**학습 분석:** 교육 기술의 사용이 계속 증가함에 따라, 다양한 디지털 학습 플랫폼과 도구를 통해 데이터를 수집할 수 있습니다. "학습 분석"은 이러한 디지털 환경 내에서 학생들의 상호작용, 참여 수준, 성과 통계를 연구하는 것을 말합니다. 이 정보는 교육을 맞춤화하는 데 도움이 되며, 어려움을 겪고 있는 학생들을 식별하고, 온라인 학습과 관련된 경험의 효율성을 높일 수 있습니다.

교육 프로그램, 개입, 그리고 이니셔티브의 성공을 평가하는 데는 광범위한 데이터 수집이 필수적인 평가 과정의 일부입니다. 기관들은 이러한 활동의 학생 성과에 대한 영향을 평가하고, 증거에 기반한 결정을 내리며, 그러한 판단에 따라 자원을 할당할 수 있습니다.

**성장 모니터링:** 데이터 수집은 시간이 지남에 따라 학생 발전을 모니터링하는 데 중요한 부분입니다. 이를 통해 교사는 각 학생의 특정 강점과 약점을 파악하고, 교육 전략을 조정하며, 더 구체적으로 초점을 맞춘 개입을 제공할 수 있습니다. 정기적인 평가와 형성 평가는 학생 이해 수준을 측정하고 교육 방법에 대한 판단을 내리는 데 도움이 됩니다.

**학생 행동 및 징계 사건 데이터:** 교육 기관은 안전하고 지원적인 학습 환경을 조성하기 위해 학생 행동 및 징계 사건에 대한 데이터를 수집합니다. 이 데이터를 사용하면 추세를 쉽게 인식하고, 행동 문제를 해결하며, 적절한 개입을 시행하고, 징계 조치의 성공을 모니터링할 수 있습니다.

데이터 수집은 또한 교사의 성과를 평가하고 전문 개발 프로그램에 대한 피드백을 제공하는 목적을 제공합니다. 교실 관찰, 학생 의견, 성과 통계를 통해 교육자의 실천을 평가하며, 이는 교육자의 지속적인 전문 개발을 위한 집중적인 지원을 제공합니다.

**장기 연구:** 장기 연구는 종종 여러 해에 걸쳐 학생들로부터 데이터를 수집합니다. 연구자들은 이러한 방식으로 데이터를 수집함으로써 시간이 지남에 따라 교육 개입, 정책 또는 프로그램이 학생 성과에 미치는 영향을 모니터링할 수 있습니다.

교육 환경에서의 데이터 수집은 지속적인 개선 문화를 촉진하고 피드백 및 발전의 기회를 제공합니다. 학생, 부모, 교사와 같은 다양한 이해관계자로부터 피드백을 수집함으로써 개선이 필요한 영역을 식별하고, 교수 전략을 정제하며, 전반적인 교육 경험의 질을 향상시킬 수 있습니다.

**데이터 기반 의사 결정:** 교육 환경에서 획득한 데이터는 학교 관리자, 정책 입안자, 교육 연구자를 포함한 여러 수준에서 전략적 의사 결정을 안내하는 데 사용될 수 있습니다. 데이터 분석 및 해석 과정은 패턴을 발견하고, 자원 할당에 대한 통찰력을 제공하며, 증거에 기반한 결정을 내리는 데 도움이 될 수 있으며, 이는 개선된 교육 결과로 이어질 수 있습니다.

**규정 준수 및 책임:** 규제 기관의 요구 사항을 충족하고 교육 정책 준수를 확인하기 위해 데이터를 수집해야 합니다. 교육 기관은 책임 의무를 이행하고, 규제 기관에 보고하며, 법적 의무를 충족하기 위해 데이터를 수집해야 할 수 있습니다.

**연구 및 평가:** 교육 연구는 특정 연구 주제를 연구하고, 개입이나 교육 프로그램의 효과를 평가하며, 교육 분야의 지식 기반에 기여하기 위해 데이터 수집에 종종 의존합니다.

**데이터 품질 및 신뢰성:** 획득한 데이터가 정확하고 유효하며 신뢰할 수 있도록 하는 것이 매우 중요합니다. 이는 신중하게 구축된 데이터 수집 도구의 사용, 데이터 입력을 위한 명확한 지침 및 일관된 품질 검사가 필요합니다. 데이터의 무결성에 대한 우려는 데이터 분석 및 의사 결정 과정의 유용성을 저해할 수 있습니다.

**윤리적 고려사항:** 데이터 수집은 정보 동의 제공, 개인 정보 보호, 데이터 익명화와 같은 일련의 윤리적 규범에 따라 수행되어야 합니다. 인간 대상을 포함하는 연구 제안서 검토는 기관 검토 위원회(IRB) 또는 윤리 위원회의 참여를 필요로 할 수 있으며, 이는 모든 시간에 윤리적 기준이 유지되도록 보장하기 위함입니다.

데이터 및 시스템의 통합 및 호환성: 교육 기관은 학생 정보 시스템, 학습 관리 시스템, 평가 플랫폼과 같은 다양한 시스템 및 플랫폼을 통해 데이터를 수집할 수 있습니다. 이러한 시스템 및 플랫폼은 서로 호환되어야 합니다. 다양한 출처에서 데이터를 호환성 있게 통합하는 것은 어려울 수 있지만, 전체적인 분석 및 보고를 위해 매우 필요합니다.

교육 기관에서 얻은 정보는 개인적이고 기밀이므로 저장, 전송 및 접근 시 암호화되어야 합니다. 조직은 무단 접근, 데이터 유출 및 개인 식별 정보의 부적절한 사용을 방지하기 위해 엄격한 데이터 보안 절차를 시행해야 합니다.

**데이터 수집, 분석 및 해석에 대한 문해력:** 모든 교육 이해관계자, 교사 및 관리자를 포함하여, 데이터를 적절하게 수집, 분석 및 이해하기 위해 필요한 데이터 문해력 기술을 갖추어야 합니다. 데이터 기반 의사 결정의 이점을 활용하기 위해 교육 및 전문 개발을 통해 데이터 문해력 역량을 구축하는 것이 중요합니다.

**자원 할당:** 데이터 수집 및 처리는 시간, 인력, 기술 및 기타 형태의 장비와 같은 자원이 필요합니다. 교육 기관은 데이터 수집 절차의 효과를 보장하고 수집된 데이터를 분석하고 발행하는 노력을 지원하기 위해 충분한 자원을 할당할 책임이 있습니다.

**데이터 균형:** 양적 데이터(예: 시험 점수 및 출석 기록)는 객관적인 측정치를 제공하는 반면, 질적 데이터(예: 인터뷰 및 개방형 설문조사)는 교육 경험의 복잡성에 대한 중요한 통찰력을 제공합니다. 두 형태의 데이터 사이에 건강한 균형을 유지함으로써 학생 학습에 대한 보다 완전한 지식과 더 정보에 입각한 의사 결정이 가능해집니다.

**데이터 거버넌스 및 규칙:** 데이터 보존, 접근 권한 및 데이터 공유 절차를 포함하는 명확한 데이터 거버넌스 규칙을 설정함으로써 교육 기관이 책임감 있고 투명한 데이터 활동에 참여하도록 보장합니다.

**데이터 사용 및 커뮤니케이션:** 데이터 분석 결과를 다양한 이해관계자에게 효과적으로 전달할 수 있는 능력은 데이터 정보에 입각한 의사 결정을 장려하기 위해 필수적입니다. 데이터는 이해와 행동으로 옮길 수 있는 통찰력을 제공하는 시각화 및 보고서를 사용하여 유용하고 쉽게 접근할 수 있는 방식으로 제시되어야 합니다.

**지속적인 개선:** 데이터 수집 과정은 반복적이고 지속적인 것으로 간주되어야 합니다. 정기적인 데이터 수집 관행 검토, 이해관계자의 피드백 포함, 교육 환경의 끊임없이 변화하는 요구를 충족하기 위해 데이터 수집 기법을 업데이트함으로써 데이터가 유용하고 사용 가능하도록 할 수 있습니다.

**평등과 편견:** 데이터를 수집할 때는 평등 문제를 염두에 두어 편견의 순환을 계속하거나 이미 존재하는 격차를 확대하지 않도록 해야 합니다. 데이터 수집에 사용되는 절차와 도구가 객관적이고 포괄적이며 특정 학생 인구에 대해 부당하게 차별하지 않도록 하는 것이 필수적입니다.

**데이터 보호 법률:** 교육 기관은 미국의 가족 교육 권리 및 프라이버시 법(FERPA)이나 유럽 연합의 일반 데이터 보호 규정(GDPR)과 같은 데이터 보호 법률을 준수해야 합니다. 이러한 규정은 개인 데이터의 수집, 사용 및 저장과 관련하여 개인의 권리와 의무를 자세히 설명합니다.

**데이터의 장기 지속 가능성:** 교육 기관은 데이터 수집 이니셔티브가 장기적으로 지속 가능할지 여부를 고려해야 합니다. 이에는 데이터 보관 및 보존 규칙 정의, 전환(예: 시스템 또는 인력 전환) 동안 데이터 연속성 유지, 그러한 전환 동안 데이터 무결성 보존이 포함됩니다.

**상호 운용성 및 데이터 공유:** 다른 기관이나 시스템에서 수집한 교육 데이터는 더 포괄적인 관점을 얻거나 연구를 수행하기 위해 공유될 필요가 있을 수 있습니다. 협업 연구 및 광범위한 분석을 수행하기 위해 상호 운용성을 보장하고 개인의 프라이버시를 보호하면서 데이터 공유 규칙을 개발하는 것이 필요합니다.

**부모와 학생의 참여:** 부모와 학생을 데이터 수집 과정에 참여시키면 소유감과 공동 책임감을 조성할 수 있습니다. 이는 데이터 수집 목표에 대한 명확한 설명을 제공하고, 의사 결정 과정에 그들을 포함시키며, 데이터 사용 및 보고에 대한 그들의 의견을 요청함으로써 달성될 수 있습니다.

**윤리적 데이터 사용:** 교육 기관은 데이터가 어떻게 사용될지에 대해 명확해야 하며, 데이터 수집이 교육 목표를 지원하도록 보장해야 합니다. 데이터를 재정적 이득을 위해 사용하거나 학생들에게 해를 끼치거나 적절한 교육권을 침해할 수 있는 결론에 도달하기 위해 사용하는 것은 용납될 수 없습니다.

데이터 수집 과정은 단지 첫 단계일 뿐, 수집된 데이터를 적절하게 분석하고 해석하는 것이 마찬가지로 중요합니다. 이는 관련 통계 방법론을 사용하고, 관련 맥락 요소를 고려하며, 교육 실천 및 정책을 안내하기 위한 유용한 통찰력을 얻기 위해 필요합니다.

**협업 데이터 관행:** 교육자, 관리자, 연구자, 정책 입안자와 같은 이해관계자 간의 협력을 촉진함으로써 데이터를 보다 전체적으로 수집하고 분석할 수 있습니다. 협업 데이터 관행의 사용은 더 넓은 범위의 관점과 지식을 가능하게 하며, 결국 더 완전하고 실행 가능한 통찰력을 제공합니다.

**데이터 검증 및 교차 검증:** 다양한 출처와 방법론을 사용하여 데이터를 검증하고 교차 검증하는 것은 데이터의 정확성과 신뢰성을 보장하는 데 도움이 됩니다. 이는 추가 조사나 설명이 필요할 수 있는 모순이나 이상을 강조하고 더 쉽게 식별할 수 있게 합니다.

**윤리적 데이터 전파:** 교육 기관은 개인 정보를 적절하게 익명화하고 집계하여 외부 당사자와 공유하기 전에 개인의 프라이버시를 존중해야 합니다. 정보는 관련된 개인의 프라이버시 권리를 존중하는 방식으로 적절한 허가를 받아 전파되어야 합니다.

지금까지 설명한 것을 교육 기관이 효율적으로 관리한다면, 데이터 수집 노력의 가치를 극대화하고, 데이터 기반 의사 결정을 장려하며, 결국 모든 학생들을 위한 교육 결과를 개선할 수 있습니다.

## 1.6 데이터 수집 기법

데이터를 수집하는 데에는 여러 가지 접근 방법이 있으며, 어떤 방법을 선택할지는 수집되는 데이터의 종류, 수행되는 연구의 목표, 그리고 사용 가능한 자원에 따라 결정됩니다. 다음은 자주 사용되는 데이터 수집 방법들입니다:

**설문조사:** 개인이나 그룹에게 질문을 하여 설문조사를 통해 정보를 수집합니다. 설문조사는 대면 인터뷰, 전화 인터뷰, 온라인 설문지, 종이 기반 설문조사 등 다양한 방식으로 실시될 수 있습니다. 설문조사를 사용하면 대량의 데이터를 신속하고 효과적으로 수집할 수 있습니다.

그림 1.3 설문조사의 예

**인터뷰:** 연구자와 연구 대상자가 직접 소통합니다. 인터뷰는 구조화된 인터뷰(미리 정의된 질문을 하는 경우)와 비구조화된 인터뷰(더 대화식이고 유동적인 경우)로 나눌 수 있습니다. 인터뷰는 정보를 철저하고 심층적으로 수집하는 데 유용하며, 추가 질문과 추가 조사를 수행할 수 있습니다.

**관찰:** 활동, 사건 또는 현상을 체계적으로 모니터링하고 기록하는 행위입니다. 연구자가 연구되는 장면에 직접 존재하는 직접 관찰과 카메라나 기타 녹음 장비를 사용하는 간접 관찰이 모두 유효한 방법입니다. 관찰을 통해 자연 상태에서 실시간 데이터를 수집하고 행동이나 상호작용을 조사할 수 있습니다.

**실험:** 변수를 조작한 후 그 조작의 결과를 관찰합니다. 실험은 원인과 결과 사이의 연결을 결정하기 위해 엄격하게 모니터링된 설정에서 수행됩니다. 실험은 과학적 연구의 전형적인 부분이며, 통제된 환경이나 실제 세계를 더 잘 대표하는 설정에서 수행될 수 있습니다.

**포커스 그룹 인터뷰:** 소규모 그룹(일반적으로 6~10명)을 모아 특정 주제에 대해 논의하도록 하는 것으로, 진행자가 이끕니다. 포커스 그룹은 질적 데이터를 수집하고 참가자의 의견, 태도, 경험을 조사하는 데 유용합니다.

FGI는 다른 인터뷰 방법론보다 효율적입니다.

다양한 관점

다양한 관점

경제적

경제적

심층적

심층적

IDI FGD FGI

그림 1.4 포커스 그룹 인터뷰의 장점

**문헌 분석:** 책, 기사, 보고서 또는 역사적 기록과 같은 기존 자료를 검토하여 특정 주제와 관련된 데이터를 추출하는 과정입니다. 이 방법은 패턴, 규칙, 역사적 사건 또는 기타 이미 접근 가능한 지식을 연구하는 데 유용합니다.

**센서 데이터 수집:** 사물인터넷에 연결된 장치가 점점 더 많아짐에 따라, 센서 데이터 수집이 보편화되었습니다. 다양한 장

치나 환경에 설치된 센서를 통해 데이터를 자동으로 캡처하고 기록할 수 있습니다. 이 방법은 환경 상태, 신체 활동 수준 또는 에너지 사용량과 같은 실시간 객관적 데이터를 수집하는 데 유용합니다.

**소셜 미디어 마이닝**: 소셜 미디어 플랫폼은 사용자 생성 데이터의 방대한 양을 수집하고 분석할 수 있습니다. 웹 스크래핑과 텍스트 마이닝과 같은 방법론을 사용하여 소셜 미디어 플랫폼에서 게시물, 댓글 또는 프로필을 통해 유용한 통찰력을 얻을 수 있습니다.

**생체 정보 수집**: 생체 정보 수집은 지문, 홍채 스캔, 심박수 또는 뇌 활동과 같은 개인의 생리적 또는 행동적 특성을 수집하는 것을 포함합니다. 이 방법은 생체 인식, 보안, 건강 관리 등 다양한 분야에서 자주 사용됩니다.

**사례 연구**: 특정 개인, 그룹, 조직 또는 사건에 대한 심층 조사 및 연구입니다. 사례 연구는 질적 또는 양적일 수 있으며,

연구자는 인터뷰, 관찰, 문서 검토 등 다양한 방법으로 데이터를 수집할 수 있습니다. 사례 연구는 특정 상황에 대한 심층적 이해를 제공하며 복잡한 현상에 대한 전체적인 이해를 가능하게 합니다.

**일기 또는 로그 작성:** 참가자들이 특정 기간 동안 참여한 활동, 사건, 생각 또는 행동에 대해 자세히 기록하도록 요청합니다. 이 방법은 일상적인 루틴, 습관, 감정 또는 개인적인 생각의 조사에 사용될 수 있으며, 고품질의 질적 데이터를 생성합니다.

**역사적 연구:** 아카이브, 유물, 원고 또는 구술 역사와 같은 역사적 출처에서 데이터를 수집하고 분석하는 과정입니다. 연구자들은 과거의 사건, 문명, 사회 운동 또는 역사적 패턴을 분석하기 위해 1차 및 2차 출처를 검토합니다.

**인류학 연구:** 특정 문화 또는 커뮤니티에 몰입하여 그 문화 또는 커뮤니티의 사람들의 일상 생활과 관행을 관찰, 참여하

고 기록하는 것입니다. 인류학 연구 데이터 수집에는 참여 관찰, 인터뷰, 현장 노트, 문화 유물 수집이 포함됩니다. 이 방법의 목적은 내부자의 관점에서 사회적 및 문화적 설정을 이해하는 것입니다.

**콘텐츠 분석:** 콘텐츠 분석은 문서, 미디어 또는 커뮤니케이션 채널 내의 정보를 체계적으로 분석하는 과정입니다. 연구자들은 반복되는 구조, 주제 또는 경향을 인식하기 위해 정보를 분류하고 정량화합니다. 콘텐츠 분석은 미디어 연구, 마케팅 연구, 사회 과학 등에서 자주 사용됩니다.

**2차 데이터 분석:** 2차 데이터는 이미 존재하고 원래의 목적과 다른 목적으로 수집된 데이터를 말합니다. 연구자들은 연구 질문에 답하기 위해 2차 데이터를 분석하고 해석해야 합니다. 이에는 연구 기관, 정부 기관, 설문조사 또는 일반에게 자유롭게 접근 가능한 데이터베이스에서 얻은 데이터 세트가 포함될 수 있습니다.

**웹 분석:** 웹 분석은 웹사이트 사용자에 대한 데이터를 수집하고 분석하는 과정입니다. 페이지 조회수, 클릭률, 전환율, 사용자 인구 통계와 같은 지표를 Google Analytics와 같은 도구를 사용하여 추적할 수 있습니다. 웹 분석은 사용자 경험과 웹사이트의 성능, 마케팅의 효율성에 대한 통찰력을 제공합니다.

**표본 추출:** 더 큰 집단에서 개인이나 객체의 선택을 통해 해당 커뮤니티의 정확한 대표를 제공하는 과정입니다. 무작위 표본 추출, 층화 표본 추출, 군집 표본 추출, 편의 표본 추출 등 다양한 표본 추출 절차가 있습니다. 표본 추출을 사용하면 연구자들은 데이터를 더 효과적으로 수집할 수 있으며, 더 큰 인구에 대한 가정을 도출할 수 있습니다.

**모바일 데이터 수집:** 스마트폰과 기타 모바일 기기의 보급으로 연구자들은 모바일 데이터 수집 방법을 사용할 수 있게 되었습니다. 모바일 기기용 앱과 플랫폼을 사용하면 GPS 위치, 사진, 동영상, 오디오 녹음, 센서 데이터 등 다양한 종류

의 데이터를 수집할 수 있습니다. 모바일 데이터 수집은 현재 및 관련 맥락에서 정보를 제공합니다.

**원격 감지:** 비행기, 위성 또는 드론에 장착된 센서나 장비를 사용하여 지구 표면이나 대기에 대한 정보를 수집하는 과정입니다. 환경 연구, 농업, 도시 계획 분야에서 이 기술을 사용하여 토지 피복, 식생, 기후 또는 자연 재해에 대한 정보를 수집하는 것이 일반적입니다.

**아이트래킹:** 아이트래킹 방법은 참가자가 사진, 동영상 또는 웹사이트와 같은 자극을 볼 때의 눈 움직임과 시선 패턴을 모니터링하고 기록하는 것을 포함합니다. 아이트래킹 데이터는 인지 과정, 사용자 상호작용, 시각적 주의와 같은 다양한 심리학적 현상을 조사하는 데 사용될 수 있습니다.

그림 1.5 아이트래킹 방법

**소셜 네트워크 분석:** 소셜 네트워크 분석은 사람들 또는 그룹 간의 연결, 상호작용 및 구조를 조사하기 위해 소셜 네트워크 에서 데이터를 수집하고 분석하는 과정입니다. 연구자들은 온 라인 소셜 미디어 플랫폼, 커뮤니케이션 로그, 조직 네트워크 등 다양한 출처에서 데이터를 수집하여 사회적 관계를 매핑 하고 분석합니다.

**전기적(서사) 연구:** 전기적 연구는 개인의 생애 역사, 경험 및 개인적 서사에 대한 정보를 수집하는 과정입니다. 연구자들은 인터뷰, 개인 문서, 일기, 자서전 등을 사용하여 데이터를 수집하고 개인 및 사회적 배경에 대한 통찰력을 얻습니다.

**유전학 연구에서의 데이터 수집:** 유전학 연구에서 데이터 수집은 개인 또는 그룹으로부터 DNA 샘플을 획득하는 과정을 포함합니다. 혈액 샘플, 침 수집, 뺨 면봉 등 다양한 방법을 사용하여 유전적 변이, 유전 패턴 또는 질병 감수성의 연구 및 연구를 위해 유전적 재료를 수집합니다.

**오디오 또는 비디오 녹음:** 오디오 또는 비디오 녹음은 대화, 인터뷰 또는 기타 만남을 실시간으로 캡처합니다. 이들은 풍부한 데이터 원천을 제공하며, 심층적인 통찰력을 위해 전사, 분석 및 검토될 수 있습니다.

**웨어러블 기기:** 피트니스 트래커와 스마트워치와 같은 웨어러블 기기는 사용자의 신체 활동, 심박수, 수면 습관 등의 생리적 측정치를 캡처합니다. 이 기기들은 연구, 성능 모니터링 또는 행동 분석을 위해 사용될 수 있는 연속적이고 장기적인

데이터를 제공합니다.

**감성 분석:** 감성 분석은 소셜 미디어 플랫폼의 게시물, 고객 리뷰 또는 코멘트와 같은 텍스트 데이터를 분석하여 전달된 감정이나 의견을 파악하는 과정입니다. 자연어 처리 분야의 기술을 사용하여 텍스트를 긍정적, 부정적 또는 중립적으로 분류함으로써 대중의 의견이나 고객 만족도에 대한 정보를 제공합니다.

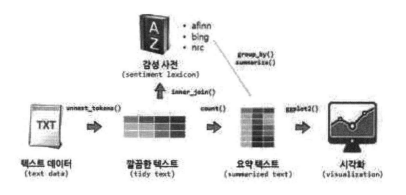

**그림 1.6 감성 분석의 개념**

**생체 측정 센서:** 생체 측정 센서는 자극에 대한 생리적 반응을 분석하거나 건강 상태를 모니터링하기 위해 심박수, 혈압, 피부 전도도와 같은 생리적 데이터를 측정하는 장치입니다. 건강 관리, 심리학, 인간-컴퓨터 상호작용 분야의 연구자들이 생체 측정 센서를 사용합니다.

**기계 생성 데이터:** 인공 지능과 기계 학습과 같은 분야에서의 최근 발전으로 인해 기계가 생성한 데이터의 가치가 크게 증가했습니다. 이에는 자동화된 시스템, 센서, 알고리즘 프로세스 및 데이터 로그를 통해 얻은 정보가 포함됩니다. 기계가 생성한 데이터는 시스템 성능, 사용자 행동 또는 프로세스 최적화에 대한 통찰력을 제공할 수 있습니다.

**지리 공간 데이터 수집:** 지리 공간 데이터 수집은 지리적 위치와 그 사이의 공간적 관계에 대한 정보를 모으는 과정입니다. GPS(글로벌 위치 결정 시스템) 추적, 위성 이미징, 항공 조사 또는 지리 정보 시스템(GIS)과 같은 방법을 사용하여 수행될 수 있습니다. 교통 시스템 조사, 도시 계획, 환경 연구

등 많은 분야에서 지리 공간 데이터를 사용합니다.

**생리적 데이터의 피드백 수집**: 생리적 데이터 수집은 개인에게 실시간으로 그들의 신체 과정에 대한 피드백을 제공하는 방법입니다. 이 데이터에는 개인의 심박수 변동성, 근육 긴장 또는 뇌파 활동이 포함될 수 있습니다. 생리적 데이터 수집은 건강 관리, 운동 성능, 스트레스 관리 등 다양한 분야에서 사용됩니다.

**사회적 감지**: 사회적 감지는 사회적 행동, 추세 또는 감정을 분석하고 이해하는 과정입니다. 사회적 감지는 소셜 미디어 플랫폼, 온라인 커뮤니티 또는 디지털 발자국에서 데이터를 수집하여 수행됩니다. 소셜 미디어 마이닝, 감정 분석, 네트워크 분석, 텍스트 마이닝과 같은 방법이 포함됩니다. 목표는 다양한 온라인 사회적 상호작용에서 유용한 정보를 추출하는 것입니다.

**신속 평가:** 신속 평가 절차는 시간에 민감한 상황이나 긴급 상황에서 신속하게 데이터를 수집하는 데 사용됩니다. 이러한 방법은 빠른 설문조사, 인터뷰 또는 관찰을 통해 정보를 수집하여 즉각적인 결정을 내려야 하는 상황에서 초기 통찰력을 얻는 데 도움이 됩니다.

**사진 증거:** 사진을 찍고 시각적 증거를 보관하는 것은 정보를 수집하는 한 가지 방법입니다. 연구자나 참가자가 시각적 증거를 제공하고, 사건을 기록하거나, 특정 현상을 묘사하기 위해 사진을 찍을 수 있습니다. 사진은 다른 데이터 수집 기법에 유용한 추가물로 제공되며 시각적 관점을 제공합니다.

**커뮤니티 기반 참여 연구(CBPR):** CBPR은 커뮤니티 구성원이나 다른 이해관계자와 협력하여 연구를 수행하는 방법론을 의미합니다. 이는 커뮤니티 구성원이 연구 질문의 설정, 데이터 수집 및 결과 해석에 적극적으로 참여하는 것을 강조합니다. CBPR 접근 방식은 커뮤니티의 권한 부여와 참여를 촉진하며, 연구가 커뮤니티에 관련성이 있고 가치가 있도록 보장합니다.

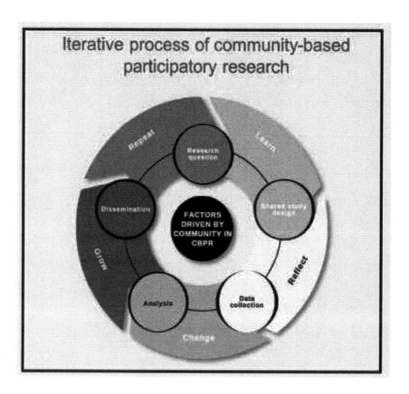

그림 1.7 CBPR의 절차

**사회적 태도, 견해 및 행동에 대한 조사:** 사회적 조사는 사람들 또는 그룹의 사회적 태도, 견해 및 행동에 대한 정보를 수집하는 것을 목적으로 합니다. 이러한 조사는 사회적 문제, 여론, 정치적 선호도, 사회적 추세 등 다양한 주제에 대한 정보를 수집하려고 합니다. 사회적 조사는 종종 대표적인 표본 추출 방법을 사용하여 결과가 의도된 인구를 정확하게 반영하도록 합니다.

**생태 순간 평가(EMA):** EMA는 사람들의 생각, 감정, 행동 또는 경험에 대한 실시간 데이터를 자연적인 환경과 관련하여 수집하는 과정입니다. 참가자들은 모바일 기기, 전자 일기 또는 웨어러블 센서를 통해 정해진 시간 간격으로 데이터를 제공하도록 요청받습니다. EMA를 사용하면 연구자들은 실시간으로 자연적인 환경에서 데이터를 수집할 수 있으며, 이는 사람들의 경험을 더 정확하게 나타냅니다.

**온라인 인터뷰에 기반한 포커스 그룹:** 원격 인터뷰 또는 포커스 그룹은 비디오 회의 또는 온라인 채팅과 같은 디지털 커뮤니케이션 플랫폼을 사용하여 인터뷰나 그룹 토론을 수행하는 것을 포함합니다. 이러한 방법을 통해 전 세계 다양한 지역에 있는 개인으로부터 데이터를 수집할 수 있으며, 거리가 가져오는 제약을 없애고 원격 협력의 길을 엽니다.

데이터 수집 방법을 선택할 때는 연구의 목표, 연구 대상 인구, 쉽게 접근할 수 있는 자원, 윤리적 문제 등 다양한 요소를 고려해야 합니다. 선택된 방법은 특정 연구의 요구 사항과 일치해야 하며 수집된 정보의 타당성과 신뢰성을 극대화해야 합니다.

## 1.7 데이터 수집에서의 윤리적 고려사항 및 개인정보 보호 문제

현재 데이터 수집은 심각한 윤리적 질문과 개인정보 보호에 대한 우려를 제기하며, 이 두 가지 모두 해결해야 할 필요가 있습니다. 기술의 빠른 성장과 개인 데이터의 만연한 수집을 고려할 때, 데이터 수집 방법이 윤리적이고 책임감 있게 수행되며 동시에 개인의 프라이버시 권리를 보호하는 것이 매우 중요합니다. 다음은 고려해야 할 몇 가지 중요한 요소들입니다:

**정보에 입각한 동의:** 데이터 수집은 정보에 입각한 동의 개념에 기반해야 합니다. 이는 개인이 데이터가 어떻게 수집되고 사용될지, 그리고 수집 및 사용과 관련된 가능한 위험에 대해 완전히 인지한 상태에서 동의를 제공해야 함을 의미합니다. 개인은 동의를 제공하거나 철회할 기회를 가져야 하며, 기관은 사용하는 데이터 수집 절차에 대해 이해하기 쉽고 투명한 정보를 제공해야 합니다.

**수집된 데이터의 사용 제한:** 수집된 데이터는 동의가 부여된 특정 목적을 위해서만 사용되어야 합니다. 기업은 추가적인 승인 없이 원래 목적과 관련 없거나 비밀로 유지되는 목적을 위해 데이터를 재사용해서는 안 됩니다. 사람들의 신뢰를 유지하기 위해서는 데이터 사용 방식에 대해 투명하게 소통하는 것이 필요합니다.

**데이터 최소화:** 기업 및 기타 조직은 데이터 최소화 원칙을 준수해야 합니다. 이는 명시된 목적과 관련된 필수 데이터만 수집하는 것을 의미합니다. 과도하거나 불필요한 양의 데이터를 수집하는 것은 프라이버시 위험과 데이터가 잘못 관리되거나 손상될 경우 발생할 수 있는 피해의 가능성을 증가시킵니다.

**익명화 및 비식별화:** 가능한 경우 개인 데이터는 익명화되거나 비식별화되어야 합니다. 이는 특히 연구 수행이나 통계 작성을 위해 데이터를 공유하거나 분석할 때 중요합니다. 사람들이 해당 데이터를 기반으로 다시 식별될 수 없도록 익명화 기법을 사용해야 합니다.

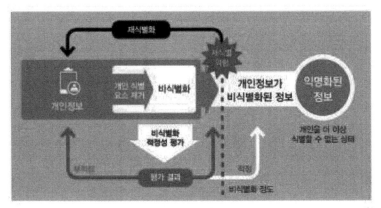

그림 1.8 데이터 익명화의 평가

**보안 및 데이터 보호**: 조직은 적절한 보안 조치를 마련하여 수집된 데이터를 무단 접근, 침해 또는 남용으로부터 보호할 책임이 있습니다. 이에는 암호화, 접근 제한, 정기적인 감사 및 데이터 보안에 대한 최선의 관행에 대한 직원 교육이 포함됩니다.

**제3자와의 데이터 공유**: 조직은 제3자와 데이터를 공유하기 전에 적절한 데이터 보호 계약이 마련되어 있는지 확인해야 합니다. 이는 데이터가 전송되는 개인의 프라이버시를 보호하고 제3자가 윤리적 데이터 처리 절차를 준수하도록 보장합니다.

**민감한 데이터:** 의료 기록, 재정 정보 또는 생체 인식 데이터와 같은 민감한 데이터의 수집 및 관리에는 항상 추가적인 주의와 주의가 필요합니다. 이러한 데이터의 프라이버시와 보안을 보호하기 위해 더 엄격한 규칙과 강화된 보호 조치가 종종 필요합니다.

**데이터 삭제:** 조직은 데이터가 저장되기 전에 삭제될 시간에 대한 투명한 규칙을 가지고 있어야 합니다. 특정 데이터가 더 이상 필요하지 않을 때, 엄격히 필요한 기간 동안만 저장된 후 안전하게 폐기되어야 합니다.

**책임 및 규정 준수:** 조직은 자신들이 참여하는 데이터 수집 관행에 대한 책임을 인정하고, 내부 정책 및 절차를 개발하며, 데이터 보호 및 프라이버시를 모니터링할 책임이 있는 개

인 또는 팀을 지정해야 합니다. 일반 데이터 보호 규정
(GDPR) 또는 캘리포니아 소비자 프라이버시 법(CCPA)과 같
은 적용 가능한 프라이버시 규정 및 규칙을 준수하는 것이
매우 중요합니다.

개인은 자신의 개인 데이터에 대한 통제권을 가져야 하며, 사
용자는 더 많은 권한을 부여받아야 합니다. 개인은 조직이 보
유한 자신의 데이터에 접근, 검토, 업데이트 및 삭제할 기회
를 가져야 하며, 조직은 또한 개인이 불만을 제기하거나 구제
를 요청할 수 있는 방법을 제공해야 합니다.

**투명한 데이터 정책**: 조직은 투명하고 쉽게 접근할 수 있는
데이터 정책을 가지고 있어야 합니다. 이러한 정책은 데이터
수집 절차, 수집된 데이터의 범주, 수집 목적 및 개인이 자신
의 데이터와 관련하여 권리를 행사할 수 있는 방법을 정의해
야 합니다. 투명성은 신뢰를 구축하고 개인이 자신의 데이터
를 공유하는 데 대한 정보에 입각한 결정을 내리는 데 도움
이 됩니다.

어린이의 개인정보 보호에 대한 추가적인 주의: 데이터 수집 과정에서 어린이의 개인정보에 대한 추가적인 주의를 기울여야 합니다. 조직은 13세 미만의 어린이로부터 개인정보를 수집하기 전에 부모의 확인된 동의를 받아야 하며, 미국의 어린이 온라인 프라이버시 보호법(COPPA)과 같은 관련 규정을 준수해야 합니다. 이 법률은 조직이 13세 미만 어린이로부터 개인정보를 수집하기 위해 부모의 동의를 받도록 요구합니다.

국제적 경계를 넘는 데이터 전송: 데이터를 국제적 경계를 넘어 전송할 때, 기업은 적용 가능한 데이터 보호 법률을 준수하고 데이터를 보호하기 위한 적절한 조치가 마련되어 있는지 확인해야 합니다. 이는 개인 프라이버시에 대한 다양한 요구 사항을 가진 지역과 정부 모니터링의 가능성이 있는 지역에서 매우 중요합니다.

**데이터의 윤리적 사용:** 조직은 데이터 분석에서 도출된 결론이 윤리적으로 사용되도록 주의를 기울여야 합니다. 데이터를 사용하여 인종, 민족, 성별, 종교 또는 기타 보호된 범주에 속하는 특성을 기반으로 사람들을 차별하는 것은 용납될 수 없습니다. 알고리즘 및 기타 자동화된 의사결정이 공정하고 편견이 없는지 정기적으로 확인하는 것이 중요합니다.

**공공의 책임:** 정부, 규제 기관 및 업계 그룹은 프라이버시에 관한 법률 및 표준을 개발하고 시행하는 과정에서 중요한 역할을 합니다. 그들은 데이터 수집 방법에 대한 책임과 투명성을 장려하고, 개인의 프라이버시가 침해된 경우 구제를 요청할 수 있는 채널을 제공해야 합니다.

**연구에서의 윤리적 고려사항:** 연구자는 데이터를 수집하고 해석할 때 윤리적 기준을 준수해야 합니다. 이러한 원칙에는 참가자로부터 정보에 입각한 동의를 얻고, 참가자의 익명성을 유지하며, 가능한 피해를 최소화하는 것이 포함됩니다. 인간 대상을 포함하는 연구 프로젝트가 윤리적 기준을 준수하도록 보장하기 위해 기관은 연구를 감독할 기관 검토 위원회와 윤리 위원회를 두어야 합니다.

**프라이버시 디자인:** 프라이버시 디자인 접근 방식은 데이터 수집을 포함하는 제품, 서비스 또는 시스템 설계 과정의 초기 단계부터 프라이버시 문제를 고려하도록 기업을 장려합니다. 데이터 암호화, 데이터 익명화, 차등 프라이버시와 같은 프라이버시 증진 기술 및 관행을 도입하여 개인의 프라이버시를 보호해야 합니다.

**지속적인 모니터링 및 감사:** 데이터 수집 활동은 정기적으로 모니터링, 감사 및 평가를 받아야 하며, 존재할 수 있는 프라이버시 문제나 취약점을 탐지하고 해결해야 합니다. 이에는 데이터 처리 작업의 효율성 분석, 보안 조치의 효과 평가 및 새로운 프라이버시 문제 해결이 포함됩니다.

**대중의 교육 및 인식:** 대중의 데이터 프라이버시에 대한 이해를 높이고 개인이 자신의 개인 정보에 대한 정보에 입각한 결정을 내릴 수 있도록 노력해야 합니다. 교육 캠페인, 프라이버시 문해력 프로그램 및 쉽게 접근할 수 있는 프라이버시 정책은 개인 정보 보호의 중요성에 대한 더 많은 인식을 조성하는 데 기여할 수 있습니다.

**윤리적 및 기업 책임 문화:** 조직은 개인 정보 보호와 프라이버시 보호를 우선시하는 윤리적 문화를 조성하기 위해 노력해야 합니다. 이에는 프라이버시 문제를 보고하는 내부 절차 개발, 직원에게 프라이버시 교육 제공 및 프라이버시 규정 미준수에 대한 책임 추궁이 포함됩니다.

**적극적인 위험 평가:** 기업 및 기타 조직은 데이터 수집과 관련된 잠재적인 프라이버시 문제를 탐지하기 위해 일관되게 위험 평가를 수행해야 합니다. 이에는 수집되는 데이터의 민감도 수준 결정, 잠재적 위험 및 시스템의 취약점 파악, 위험을 줄이기 위한 필요한 예방 조치 마련이 포함됩니다.

**행동 데이터의 윤리적 사용:** 온라인 행동에 대한 정보를 포함하는 행동 데이터는 윤리적으로 처리되어야 합니다. 개인에게 의미 있는 선택과 통제권을 제공하고, 조직은 행동 프로파일링이 조작적이거나 파괴적인 목적으로 사용되지 않도록 보장해야 합니다. 조직은 이러한 데이터의 수집 및 사용에 대해 투명해야 하며, 개인에게 의미 있는 선택을 제공해야 합니다.

**개인 데이터를 포함하는 실질적인 데이터 수집 이니셔티브 또는 새로운 프로젝트에 대한 프라이버시 영향 평가(PIA) 수행:** 프라이버시 영향 평가(PIA)는 개인의 프라이버시에 대한 잠재적 위협을 식별하고 완화하며, 데이터 수집 절차의 계획, 설계 및 실행에 프라이버시 문제를 통합하는 데 유용한 도구입니다.

**공급업체 및 파트너 관리:** 제3자 공급업체나 파트너와 데이터를 교환할 때, 기업은 매우 신중하게 접근해야 합니다. 이러한 조직이 적절한 프라이버시 및 보안 프로토콜을 갖추고 있는지 확인하기 위해 필요한 검증을 수행해야 합니다. 데이터 보호와 관련된 의무와 책임은 계약이나 협약에서 명확하게 명시되어야 합니다.

인공 지능 및 기계 학습 모델을 위한 데이터 수집 과정에서 편견, 공정성 및 책임과 같은 윤리적 함의를 고려해야 합니다. 훈련 데이터는 다양하고 대표적이어야 하며, 모델은 잠재적인 편견과 차별적 결과에 대해 정기적으로 평가되어야 합니다. 훈련에 사용되는 데이터가 다양하고 대표적인지 확인하는 데 주의를 기울여야 합니다.

**윤리적 데이터 거버넌스:** 기업 및 기타 조직은 윤리적 문제를 고려한 견고한 데이터 거버넌스 프레임워크를 구축해야 합니다. 이에는 데이터 소유권 결정, 데이터 접근을 제한하는 통제 수립 및 데이터 공유, 저장, 삭제에 대한 지침 개발이 포함됩니다.

**공공의 대화 및 참여:** 데이터 수집 관행, 프라이버시 문제 및 윤리적 문제에 대한 공공과의 대화를 통해 사회적 가치와 일치하는 정책과 관행을 형성하는 데 도움이 될 수 있습니다. 개방적인 포럼, 공공 컨설팅 및 이해관계자 참여를 통해 의미 있는 토론과 책임을 촉진할 수 있습니다.

**신흥 기술에 대한 윤리적 고려사항:** 얼굴 인식, 생체 인식, 사물인터넷(IoT) 기기와 같은 새로운 기술이 등장함에 따라, 윤리적 고려사항과 프라이버시 조치가 이러한 기술의 설계 및 배포에 통합되어야 합니다. 잠재적 위험을 줄이기 위해 프라이버시를 강화하는 기능과 보호 조치에 우선순위를 두어야 합니다.

**국제적 협력 및 표준:** 데이터 수집의 글로벌 범위를 고려할 때, 보편적으로 받아들여지는 윤리적 원칙과 프라이버시 지침을 형성하기 위한 국제적 협력에 참여하는 것이 필수적입니다. 규칙의 조화, 정보 교환 촉진 및 국경 간 데이터 보호에 대한 문제 해결은 협력을 통해 달성될 수 있습니다.

**지속적인 개선:** 데이터 수집에서의 윤리적 고려사항과 프라이버시 문제는 새로운 정보가 제공됨에 따라 지속적으로 개선되고 있습니다. 조직은 발전하는 기술, 변화하는 규정 및 업계 최선의 관행에 대해 최신 상태를 유지하고, 데이터 수집

절차와 프라이버시 정책에 적절한 조정을 할 수 있도록 해야 합니다.

**데이터 유출 통지에 대한 대응:** 조직은 데이터 유출에 신속하고 효과적으로 대응할 수 있도록 명확한 프로토콜을 마련해야 합니다. 이에는 피해를 제한하고 피해를 입은 개인이 프라이버시를 보호하기 위해 필요한 조치를 취할 수 있도록 적시에 피해자와 관련 당국에 연락하는 것이 포함됩니다.

데이터 수집 기법은 데이터에 존재할 수 있는 편견을 적극적으로 해결하고 제거해야 합니다. 데이터 수집 과정에서 차별을 해결하고 완화해야 합니다. 알고리즘과 기계 학습 모델이 편향되었는지, 차별적 결과를 제공하는지 정기적으로 확인해야 합니다. 편향이 발견되면 가능한 한 빨리 시정 조치를 취해야 합니다.

**지리적 위치 데이터의 윤리적 사용:** 지리적 위치 데이터의 수집 및 사용은 엄격한 프라이버시 요구 사항을 준수해야 합니다. 조직은 지리적 위치 데이터 수집 노력의 목적과 범위를 투명하게 설명하고 필요한 경우 명시적 동의를 얻어야 합니다. 적절한 근거 없이 지리적 위치 데이터를 공유하는 것은 허용되지 않으며, 지리적 위치 데이터는 의도된 목적으로만 사용되어야 합니다.

**데이터 분석에서의 윤리적 고려사항:** 기업은 데이터 분석 관행의 윤리적 함의를 신중하게 고려해야 합니다. 이에는 데이터 분석을 통해 얻은 통찰력이 책임감 있고 윤리적으로 사용되도록 보장하고, 개인의 프라이버시와 권리를 보호하며, 개인이나 조직에 피해를 줄 가능성을 방지하는 것이 포함됩니다.

데이터 수집은 인종, 민족, 종교, 성별 또는 성적 지향과 같은 민감한 특성을 기반으로 한 사람들이나 그룹에 대한 차별적 타겟팅을 금지합니다. 조직은 차별적 타겟팅을 명시적으로 금지하는 규칙을 수립하고 이러한 정책 준수를 보장하는 메커니즘을 구현해야 합니다.

**생체 인식 데이터 수집에서의 윤리적 고려사항:** 지문, 얼굴 인식 데이터 또는 DNA 샘플과 같은 민감하고 독특한 생체 인식 데이터는 수집 과정에서 최대한의 주의를 기울여 처리해야 합니다. 조직은 엄격한 보안 조치를 시행하고, 고객의 명시적 동의를 얻으며, 생체 인식 데이터를 규제하는 모든 법률 및 규정을 준수해야 합니다.

**소셜 미디어 회사에서의 데이터 수집에 대한 윤리적 고려사항:** 소셜 미디어 회사는 개인을 식별할 수 있는 대량의 정보를 수집합니다. 소셜 미디어 출처에서 데이터를 수집할 때, 조직은 데이터 수집의 목적과 사용 범위를 사용자에게 적절하게 표현하고, 사용자의 프라이버시 설정과 선택을 존중해야 합니다.

**데이터 집계에서의 윤리적 고려사항:** 다양한 출처에서 데이터를 집계하면 심층적인 프로파일링과 개인의 프라이버시 침해 가능성이 발생할 수 있습니다. 데이터를 집계할 때, 조직은 데이터 익명화 방법과 강력한 접근 제어와 같은 보호 조치를 마련하여 개인의 프라이버시를 보호해야 합니다.

**설문조사 및 질문지 수행에서의 윤리적 고려사항:** 조직이 데이터 수집을 위해 설문조사나 질문지를 실시할 때, 질문이 이해하기 쉽고, 관련성이 있으며, 응답자의 프라이버시를 존중해야 합니다. 응답은 기밀로 유지되어야 하며, 안전한 데이터 저장이 매우 중요합니다.

**취약한 인구로부터 정보 수집 시 윤리적 행동 고려사항:** 어린이, 노인 또는 장애인과 같은 취약한 집단의 구성원으로부터 정보를 수집할 때, 그들의 프라이버시를 보호하고 건강한 상태를 보장하기 위해 추가적인 주의를 기울여야 합니다. 정보에 입각한 동의를 얻을 수 있는 보호 조치가 마련되어 있어야 하며, 기밀성을 유지하고 가능한 피해를 최소화해야 합니다.

기업이 이러한 추가적인 측면을 데이터 수집 방법에 포함함으로써 윤리, 프라이버시 및 윤리적 데이터 관리에 대한 강력한 약속을 보여줄 때, 그들은 더 강력한 인상을 남길 수 있습니다. 이 접근 방식은 신뢰를 촉진하고, 개인의 법적 권리를 보호하며, 데이터의 책임감 있고 생산적인 사용을 장려합니다.

## 2장. 데이터 전처리 및 클리닝

## 2.1 서론

데이터 마이닝 과정에서 데이터 전처리 및 클리닝 절차는 가장 중요한 단계 중 두 가지입니다. 이 절차들은 누락된 값, 이상치 문제 해결, 변수 변환, 데이터 정규화 등의 문제를 해결함으로써 데이터를 분석 준비 상태로 만드는 것을 포함합니다. 다음은 전처리 및 데이터 클리닝에 사용되는 인기 있는 접근 방법 목록입니다.

**누락된 값 다루기:** 데이터의 부족은 분석에 악영향을 미칠 수 있습니다. 누락된 값에 대처하는 몇 가지 방법은 다음과 같습니다:

● **누락된 값이 있는 행이나 열 삭제:** 누락된 데이터의 양이 미미한 경우 데이터의 행이나 열을 삭제할 수 있습니다.

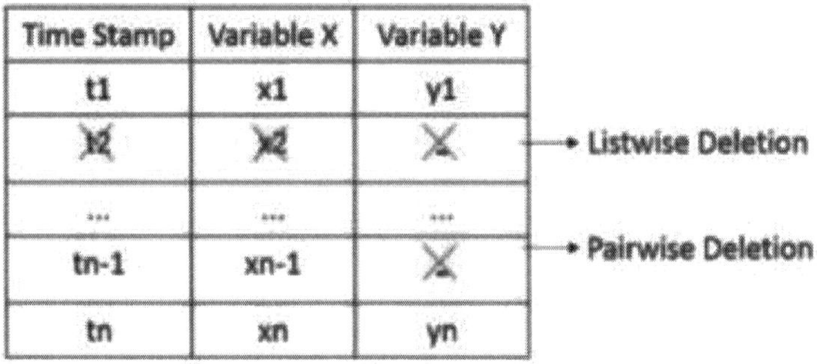

| Time Stamp | Variable X | Variable Y |
|:---:|:---:|:---:|
| t1 | x1 | y1 |
| ~~t2~~ | ~~x2~~ | ✗ |
| ... | ... | ... |
| tn-1 | xn-1 | ✗ |
| tn | xn | yn |

→ Listwise Deletion (두 번째 행)
→ Pairwise Deletion (tn-1 행)

그림 2.1 결측값 삭제의 예시

● **대체**: 누락된 데이터를 추정하거나 계산된 값으로 채우는
과정입니다. 이를 위해 해당 열의 현재 값의 평균, 중앙값
또는 최빈값을 결정하거나, 회귀나 머신러닝 알고리즘과
같은 더 복잡한 방법을 사용하여 누락된 값을 예측하려고
시도할 수 있습니다.

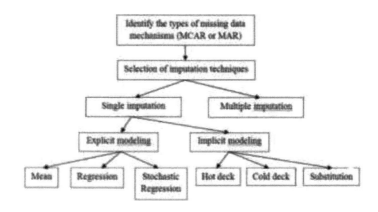

그림 2.2 결측값 대체를 위한 방법들

|   | col1 | col2 | col3 | col4 | col5 |
|---|------|------|------|------|------|
| 0 | 2 | 5.0 | 3.0 | 6 | NaN |
| 1 | 9 | NaN | 9.0 | 0 | 7.0 |
| 2 | 19 | 17.0 | NaN | 9 | NaN |

mean() →

|   | col1 | col2 | col3 | col4 | col5 |
|---|------|------|------|------|------|
| 0 | 2.0 | 5.0 | 3.0 | 6.0 | 7.0 |
| 1 | 9.0 | 11.0 | 9.0 | 0.0 | 7.0 |
| 2 | 19.0 | 17.0 | 6.0 | 9.0 | 7.0 |

그림 2.3 평균값 대체

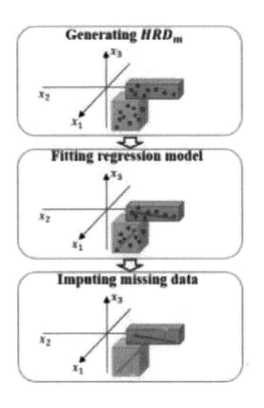

그림 2.3 회귀 대체의 예시

**이상치 다루기:** 데이터 나머지 부분과 크게 다른 극단적인 숫자를 이상치라고 합니다. 이는 통계 모델의 결과를 왜곡할 수 있습니다. 이상치를 다루는 몇 가지 전략은 다음과 같습니다.

● **식별 및 제거:** 이상치를 통계적 기법(예: z-점수 및 사분위수 범위)을 사용하여 식별하고, 잘못되었거나 불필요한 것으로 확인되면 제거해야 합니다.

● **변환**을 통해 이상치가 연구에 미치는 영향을 줄이기 위해 로그 변환, 제곱근 변환 또는 Box-Cox 변환과 같은 방법을 사용해야 합니다.

**데이터 정규화:** 정규화 과정은 모든 변수를 동일한 척도로 두어 특정 요소가 연구에서 지나치게 영향을 미치지 않도록 합니다. 일반적인 정규화 방법에는 다음이 포함됩니다.

● **최소값과 최대값에 기반한 스케일링**은 데이터를 미리 정해진 범위(예: 0에서 1) 내에 맞도록 재조정하는 것을 포함합니다. 이는 먼저 최소값을 찾은 다음 그 결과를 범위로 나누어 수행됩니다.

● **Z-점수 정규화:** 데이터를 표준화하기 위해 분포에서 평균을 빼고 그 결과를 표준편차로 나눕니다. 이렇게 하면 평균이 0이고 표준편차가 1인 분포가 생성됩니다.

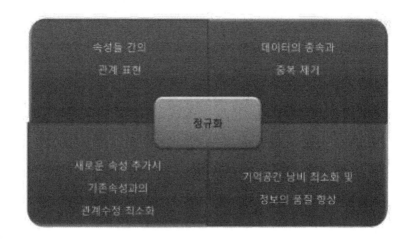

그림 2.4 정규화의 필요성

**범주형 변수 다루기:** 많은 데이터 마이닝 방법은 범주형 변수를 수치적 표현으로 인코딩할 것을 요구합니다. 이는 원-핫 인코딩, 라벨 인코딩, 순서 인코딩과 같은 전략을 사용하여 범주형 데이터의 특성에 따라 수행될 수 있습니다.

**특성 선택**은 분석에 모든 특성이 중요하지 않은 경우에 중요합니다. 특성 선택 방법은 어떤 특성이 가장 중요하고 어떤 것을 무시할 수 있는지 결정하는 데 도움이 될 수 있습니다.

주성분 분석(PCA)과 같은 차원 축소 방법이나 상관 분석 및 특성 중요도 순위와 같은 기법을 사용할 수 있습니다.

**데이터 유형 변환**: 데이터가 적절한 형식으로 변환된 후에 분석을 수행합니다. 예를 들어, 문자열 표현의 날짜를 날짜 객체로 변환하거나 문자열로 저장된 수치 값을 수치 데이터 유형으로 변환하는 것이 이러한 변환의 예입니다.

**일관성 없는 데이터 다루기**: 데이터 입력 오류나 데이터셋 결합으로 인해 일관성 없는 데이터가 발생할 수 있습니다. 일관성 없는 데이터에는 모순되는 값이나 일관성 없는 형식이 포함될 수 있습니다. 형식 표준화, 오류 수정 또는 중복 제거를 통해 이러한 불일치를 찾아 해결하는 것이 필수적입니다.

**치우친 데이터 다루기**: 데이터의 분포가 일부 알고리즘의 성능에 영향을 미칠 수 있습니다. 로그 변환, 제곱근 변환 또는 멱 변환(예: Box-Cox 변환)과 같은 방법을 사용하여 치우친 데이터를 정규화하고 분석에 더 적합하게 만들 수 있습니다.

연속 데이터를 구간이나 구간으로 그룹화하는 과정을 '범주화'이라고 합니다. 연속 변수를 다룰 때 범위가 넓고 경미한 변동의 영향을 제한하고자 할 때 유용한 전략입니다. 연속 데이터를 구간이나 범위로 나누어 범주형 변수로 변환하는 것을 '이산화'라고 합니다.

**중복 레코드 제거:** 중복 레코드의 존재는 연구의 정확성을 저하시키고 편향을 유발할 수 있습니다. 고유 ID나 변수 조합을 사용하여 중복 항목을 찾아 제거함으로써 데이터의 무결성을 향상시킬 수 있습니다.

**관련 없거나 불필요한 특성 다루기:** 관련 없거나 중복된 특성은 데이터에 노이즈와 복잡성을 도입할 수 있습니다. 필터 방법, 래퍼 방법, 임베딩 방법과 같은 특성 선택 전략을 사용하여 이러한 특성을 식별하고 제거함으로써 모델의 성능과 해석 가능성을 향상시킬 수 있습니다.

**불균형 데이터셋 다루기:** 분류 문제에서 클래스가 불균형할 때(즉, 한 클래스에 인스턴스가 다른 것보다 훨씬 적을 때) 편향된 모델을 초래할 수 있습니다. 소수 클래스의 오버샘플링, 다수 클래스의 언더샘플링, SMOTE(합성 소수 오버샘플링 기법)과 같은 합성 데이터 생성 기법을 사용하는 기법이 클래스 불균형을 완화하는 데 도움이 될 수 있습니다.

**여러 데이터셋 간의 데이터 정규화:** 분석을 위해 통합해야 하는 여러 데이터셋을 다룰 때, 모든 데이터셋이 동일한 방식으로 정규화되고 표준화되었는지 확인하는 것이 필수적입니다. 이를 위해 각 데이터셋에 동일한 전처리 방법과 수정을 적용하여 데이터셋을 서로 일치시켜야 합니다.

**노이즈가 있는 데이터 다루기:** 노이즈가 있는 데이터는 무작위 오류나 일관성 없음을 포함할 수 있으며, 분석에 부정적인 영향을 미칠 수 있습니다. 평활화 및 필터링(예: 이동 평균 및 중앙값 필터링)과 같은 방법을 사용하여 데이터의 노이즈를 줄이고 데이터의 품질을 개선할 수 있습니다.

**시계열 데이터 다루기:** 시계열 데이터는 특별한 전처리 절차가 필요합니다. 누락된 데이터 처리, 리샘플링(예: 업샘플링 또는 다운샘플링), 시리즈를 안정적으로 유지하기 위한 차분, 계절성 또는 추세 분해 적용과 같은 절차를 사용할 수 있습니다.

**클래스의 분포 불균형 문제 다루기:** 분류 문제에서 클래스가 불균형한 분포를 가질 때(즉, 한 클래스가 다른 것보다 불균형하게 많은 예제를 포함할 때) 편향된 모델을 생성할 수 있습니다. 클래스 가중치 적용, 다수 클래스의 언더샘플링, 소수 클래스의 오버샘플링, SMOTE-ENN(SMOTE와 편집된 최근접 이웃)과 같은 앙상블 기법 사용은 클래스 불균형을 해결하고 모델의 성능을 개선하는 데 도움이 될 수 있는 몇 가지 접근 방법입니다.

**텍스트 데이터의 초기 처리:** 텍스트 데이터를 다룰 때는 텍스트를 분석에 적합한 형식으로 정리하기 위해 전처리 작업을 수행해야 합니다. 구두점 제거, 텍스트를 소문자로 변환, 불용어 제거, 단어를 기본 형태로 어간 추출 또는 표제어화, 인코딩 문제 또는 특수 문자 처리와 같은 기법이 예입니다.

**시계열 데이터의 이상치 다루기:** 시계열 데이터의 이상치는 적절하게 관리되지 않으면 예측 또는 이상 탐지에 상당한 영향을 미칠 수 있습니다. 이동 평균, 지수 평활화 또는 견고한 통계 측정(예: 중앙값 절대 편차) 사용과 같은 방법을 사용하여 시계열 분석에서 이상치의 영향을 완화할 수 있습니다.

**변수 간의 높은 상관관계 다루기:** 변수 간의 높은 상관관계는 예측 모델에서 다중공선성 문제를 일으킬 수 있습니다. 상관 분석 및 분산 팽창 요인(VIF) 분석과 같은 방법을 사용하여 관련 변수를 식별하고 관리할 수 있습니다. 이는 변수 중 하나를 삭제하거나 문제의 차원을 줄이는 절차를 포함할 수 있습니다.

**데이터 통합 및 병합:** 다양한 출처에서 오는 여러 데이터셋을 다룰 때 데이터 통합 및 병합이 필요합니다. 변수 정렬, 이름 불일치 수정, 다양한 데이터 구조 관리를 통해 통합된 데이터셋을 생성해야 합니다. 이는 모든 단계를 결합하여 수행됩니다.

**시간 요소를 포함한 데이터 다루기:** 데이터에 시간 구성 요소가 포함되어 있는 경우 준비 단계에서 시간 요소를 고려하는 것이 필수적입니다. 시간 패턴이나 추세를 식별하기 위해 데이터를 분석하는 데 사용할 수 있는 방법으로는 지연 또는 차분과 같은 방법이 있습니다.

**데이터 품질 문제 다루기:** 실제 데이터를 다룰 때는 때때로 오류, 일관성 없는 형식 또는 부정확한 숫자와 같은 낮은 품질의 문제를 다루어야 할 수 있습니다. 데이터 프로파일링 및 데이터 클리닝 방법, 예를 들어 정규 표현식 일치, 패턴 일치 또는 외부 참조 데이터셋 사용은 데이터 품질 문제를 식별하고 수정하는 데 도움이 될 수 있습니다.

연속 변수를 구간 또는 구간으로 나누어 범주형 변수로 변환하는 과정을 '데이터 이산화'라고 합니다. 이는 일부 알고리즘이 범주형 데이터로 더 효과적으로 작동하거나 결과를 더 이해하기 쉽게 해석하는 데 도움이 될 수 있습니다.

**데이터 축소:** 데이터셋이 매우 크거나 차원이 높은 경우, 샘플링, 특성 추출(예: 주성분 분석) 또는 특성 집계와 같은 방법을 사용하여 데이터의 크기나 차원을 줄여 연구에 더 관리하기 쉽게 만들 수 있습니다.

데이터 보간 방법을 포함하여 누락된 값 처리는 현재 사용 가능한 데이터를 기반으로 누락된 값을 추정하는 과정의 일부입니다. 평균 보간 및 회귀 보간과 같은 통계적 접근 방식뿐만 아니라 K-최근접 이웃(KNN) 보간 및 다중 보간과 같은 더 복잡한 기법을 사용할 수 있습니다.

순서형 변수는 범주 간에 자연스러운 순서 또는 계층이 있으며, 이러한 변수를 다룰 때는 이를 올바르게 인코딩하고 순서 관계를 유지하는 것이 중요합니다. 순서형 인코딩 및 변수의 순서에 따른 수치 매핑을 사용하여 순서형 변수를 처리할 수 있습니다.

**드물게 발생하는 범주 다루기:** 범주형 변수에서 매우 드물게 발생하는 범주, 즉 드문 범주가 있을 수 있습니다. 분석 중에 어려움을 줄 수 있습니다. '기타' 범주로 통합하거나 개념적으로 관련된 범주와 통합하는 전략을 사용하여 드문 범주를 관리할 수 있습니다.

**치우친 데이터를 멱 변환을 사용하여 다루기:** 로그 변환 또는 제곱근 변환 외에도, Box-Cox 변환과 같은 멱 변환을 사용하여 치우친 데이터를 다룰 수 있습니다. Box-Cox 변환을 데이터에 적용하면 가장 효과적인 멱 매개변수 값을 결정하여 데이터를 정규 분포에 가깝게 만듭니다.

**시간 및 날짜 변수 다루기:** 시간 및 날짜 변수는 종종 매우 특정한 전처리 절차를 요구합니다. 타임스탬프에서 특성 추출 (예: 요일, 월, 시간), 지연 특성 생성, 시간대 관리, 시간 간격을 분석에 적합한 표현으로 변환하는 것과 같은 작업이 이러한 작업의 예입니다.

**지리 데이터 다루기:** 위도 및 경도 좌표와 같은 지리 데이터는 특수한 전처리 방법을 필요로 합니다. 거리 계산, 근접성에 기반한 그룹화 또는 지역 또는 다각형과 같은 공간 단위로 좌표를 변환하여 공간 분석을 수행하는 것과 같은 작업이 이러한 작업의 예입니다.

**데이터 인코딩 및 스케일링 다루기:** 일부 머신러닝 방법은 데이터 인코딩 또는 스케일링을 처리하기 위한 특정 전략이 필요합니다. 결정 트리 기반 알고리즘은 명시적 인코딩 없이도 범주형 변수를 처리할 수 있는 반면, SVM(서포트 벡터 머신)과 같은 알고리즘은 종종 수치 변수의 스케일링이 필요합니다.

**이상 탐지에서 데이터 분포 불균형 다루기:** 대부분의 인스턴스가 정상이고 소수만이 이상인 문제에서 데이터 불균형이 발생할 수 있습니다. 이상을 오버샘플링하고, 정상 인스턴스를 언더샘플링하거나, one-class SVM이나 isolation forest와 같은 특정 알고리즘을 사용하는 기법은 데이터 불균형을 해결하는 데 도움이 될 수 있습니다.

**시계열 데이터에서 계절 패턴 및 장기 추세 다루기:** 시계열 데이터는 종종 계절 패턴과 추세를 나타냅니다. 계절 분해 (예: 가법 모델 또는 곱셈 모델 적용), 추세 제거 또는 차분과 같은 기법을 사용하여 데이터에 존재하는 계절성 및 추세를 포착하고 관리할 수 있습니다.

**희소 데이터 다루기:** 텍스트 마이닝이나 추천 시스템과 같은 분야에서 데이터는 희소할 수 있습니다. 즉, 많은 항목이 누락된 값이나 0을 가집니다. 행렬 분해, 협업 필터링, 콘텐츠 기반 접근 방식과 같은 여러 방법론과 기법을 사용하여 희소

데이터를 처리하고 분석 품질을 개선할 수 있습니다.

**거리 기반 알고리즘을 위한 데이터 정규화 고려사항:** K-최근접 이웃(KNN)이나 클러스터링 알고리즘과 같은 거리 기반 알고리즘은 모든 특성이 동등한 중요도를 가지도록 데이터 정규화가 필요합니다. 거리 기반 알고리즘을 사용하기 전에 min-max 스케일링 또는 z-점수 정규화와 같은 방법을 사용하여 데이터를 정규화할 수 있습니다.

**특성 공학 처리:** 특성 공학은 기존 데이터를 기반으로 새로운 특성을 개발하여 데이터 마이닝 모델의 성능을 향상시키는 과정입니다. 상호 작용 항, 다항 특성 또는 도메인별 변환 생성과 같은 작업을 통해 변수 간의 더 복잡한 관계를 포착할 수 있습니다.

대규모 데이터셋을 다룰 때는 데이터를 별도의 훈련, 검증 및 테스트 세트로 나누는 것이 일반적입니다. 이 단계는 '데이터 분할 처리'라고 합니다. 이를 통해 모델을 검토하고 성능을 평가할 수 있습니다. 무작위화, 계층화 및 파티션이 기본 데이터 분포를 정확하게 반영하는지 확인하는 것이 중요합니다.

**데이터 품질 평가 처리:** 전처리 단계를 시작하기 전에 데이터 품질 평가를 수행하는 것이 필수적입니다. 데이터의 완전성, 일관성 및 정확성을 확인하는 것이 이 과정의 한 단계일 수 있습니다. 데이터 프로파일링 도구, 통계 요약 및 탐색적 데이터 분석을 사용하여 잠재적 문제를 식별할 수 있습니다.

**시간 변화 데이터 처리:** 센서 데이터 또는 금융 시장 데이터와 같은 시간 변화 데이터는 시간적 종속성을 관리해야 합니다. 시간 패턴을 포착하고 예측 모델에 입력 특성을 제공하기 위해 윈도잉, 슬라이딩 윈도우 또는 시간 지연과 같은 방법을 사용할 수 있습니다.

**데이터 통합 문제 처리:** 여러 출처에서 오는 데이터의 통합은 스키마 일치, 분쟁 해결 및 이질적 데이터 처리와 같은 여러 문제를 제기할 수 있습니다. 엔티티 해결, 데이터 융합 및 데이터 표준화와 같은 접근 방법을 사용하여 이러한 어려움을 극복할 수 있습니다.

**경사 기반 알고리즘을 위한 특성 스케일링 처리:** 선형 회귀나 신경망과 같은 경사 기반 알고리즘은 종종 수렴을 보장하고 훈련 속도를 높이기 위해 특성 스케일링이 필요합니다. 표준화(z-점수 정규화) 또는 정규화를 사용하여 특성을 스케일링할 수 있습니다.

**데이터 프라이버시 및 익명화 처리:** 프라이버시가 문제인 경우 데이터 익명화, 집계 또는 교란과 같은 방법을 사용하여 민감한 정보를 보호하면서 데이터의 분석 가치를 유지할 수 있습니다.

다중 클래스 분류 문제를 다룰 때 클래스 분포의 불균형이 나타날 수 있습니다. 이는 고려하고 수정해야 합니다. 클래스 불균형을 수정하기 위해 오버샘플링, 언더샘플링 및 각 클래스에 대한 특정 클래스 가중치 적용과 같은 방법을 사용할 수 있습니다.

**'데이터 드리프트' 처리:** '데이터 드리프트'는 시간이 지남에 따라 데이터 분포의 변화를 의미합니다. 특히 동적인 컨텍스트에서 데이터 드리프트를 모니터링하고 수정하는 것이 필수적입니다. 데이터 드리프트를 고려하기 위해 온라인 학습, 적응형 모델 또는 모델 재보정과 같은 전략을 사용할 수 있습니다.

**트리 기반 알고리즘을 위한 특성 인코딩 처리:** 결정 트리 및 랜덤 포레스트와 같은 트리 기반 알고리즘은 명시적 인코딩 없이도 범주형 데이터를 처리할 수 있습니다. 그러나 속도 향상이 필요한 경우 원-핫 인코딩 또는 순서형 인코딩을 사용하여 범주형 데이터를 인코딩할 수 있습니다.

## 2.2. 교육 데이터의 클리닝 및 전처리 기법

교육 데이터의 클리닝 및 준비 과정에서는 데이터가 분석에 적합한 형식으로 되어 있는지 보장하기 위해 다양한 절차가

사용됩니다. 다음은 교육 데이터 클리닝 및 전처리에 사용되는 가장 일반적인 방법들입니다:

**불필요하거나 중복된 데이터 제거:** 분석에 기여하지 않는 필요하지 않은 데이터를 제거하는 것이 중요합니다. 이는 쓸모가 없는 열이나 변수를 제거하거나 누락되거나 부족한 정보가 있는 행을 제거하는 것을 포함할 수 있습니다.

**누락된 데이터 처리:** 교육 데이터셋에서 자주 발생하는 문제인 누락된 데이터를 처리해야 합니다. 누락된 데이터가 있는 행을 삭제하거나 평균, 중앙값, 최빈값과 같은 통계적 수치를 사용하여 대체하거나 회귀나 최근접 이웃과 같은 더 복잡한 대체 방법을 사용할 수 있습니다.

**이상치 관리:** 이상치는 분석 및 모델링 결과에 큰 영향을 미칠 수 있습니다. 데이터의 특성과 연구 목적에 따라 이상치를 삭제하거나 수정하거나 전체의 더 일반적인 값으로 대체할 수 있습니다.

**데이터 표준화 및 정규화:** 데이터를 평균이 0이고 분산이 1인 형태로 변환하는 것을 포함합니다. 반면에 정규화는 데이터를 특정 범위(예: 0에서 1 사이)로 조정합니다. 이러한 방법을 사용하면 다양한 변수들이 동일한 척도로 측정되어 비교 및 분석이 더 관련성 있게 됩니다.

**범주형 변수 인코딩:** 성별이나 학년 수준과 같은 교육 데이터의 범주형 변수는 데이터를 분석하기 전에 수치값으로 인코딩되어야 합니다. 이를 위해 원-핫 인코딩과 라벨 인코딩과 같은 기법이 사용될 수 있습니다.

**텍스트 데이터 처리:** 교육 데이터에 텍스트가 포함되어 있는 경우, 토큰화, 불용어 제거, 어간 추출 및 표제어화와 같은 전처리 방법을 통해 텍스트를 분석에 더 적합한 형식으로 정리하고 수정할 수 있습니다.

**특성 선택:** 분석에 가장 중요한 특성이나 변수를 찾아내고 관

련 없거나 중복된 것들을 제거합니다. 주성분 분석(PCA) 및 상관 분석과 같은 차원 축소 기법이 특성 선택을 위해 사용될 수 있습니다.

**데이터 통합 및 데이터베이스 병합:** 교육 데이터셋이 다양한 출처에서 다양한 형태로 제공될 수 있습니다. 분석을 위한 일관된 데이터셋을 생성하기 위해 여러 파일이나 데이터베이스에서 오는 데이터를 결합하고 통합하는 것이 종종 필요합니다.

**데이터 변환:** 수학적 또는 통계적 기법을 사용하여 데이터를 변환함으로써 데이터의 분포적 특성을 개선하거나 이전에 숨겨진 패턴을 발견할 수 있습니다. 로그 변환, 멱 변환, Box-Cox 변환 등이 예시입니다.

**데이터 샘플링:** 분석해야 할 교육 데이터셋이 매우 크고 분석 과정이 어렵거나 시간이 많이 소요될 수 있습니다. 무작위 샘플링과 층화 샘플링과 같은 샘플링 방법을 사용하여 데이터

셋의 크기를 줄이면서도 대표성을 유지할 수 있습니다.

**중복 데이터 처리:** 데이터 세트에 중복 항목이 있으면 연구를 왜곡하고 잘못된 결론을 내릴 수 있습니다. 고유 ID나 핵심 변수와 같은 사전에 정의된 기준을 기반으로 중복 항목을 찾아 제거함으로써 데이터의 무결성을 유지할 수 있습니다.

**치우친 분포 데이터 관리:** 분포가 한쪽으로 크게 치우친 치우친 데이터는 통계 연구의 정확성에 영향을 줄 수 있습니다. 로그 변환, 제곱근 변환 또는 Box-Cox 변환과 같은 기법을 사용하여 치우친 데이터를 처리하고 분석에 더 적합하게 만들 수 있습니다.

**데이터 정규화 문제 해결:** 특정 상황에서 데이터가 정규 분포를 따르지 않을 수 있습니다. 비정규 데이터를 사용하면 일부 통계 모델의 성능에 영향을 줄 수 있습니다. 비정규성을 해결하기 위해 관련 변환을 적용하거나 비모수적 절차를 사용해야 할 수 있습니다.

**시계열 데이터 처리**: 분석 대상 교육 데이터에 시간에 따라 의존하는 변수가 포함되어 있는 경우, 시계열 분석 방법을 사용할 수 있습니다. 추세, 계절성 또는 자기상관을 인식하고 차분, 평활화 또는 예측과 같은 기법을 사용하는 것이 필요합니다.

**데이터 이산화**: 분석에 필요한 경우 연속 변수를 이산 범주 또는 구간으로 변환하는 과정입니다. 동일 폭 빈닝, 동일 빈도 빈닝 또는 도메인 사전 지식에 따른 개별 빈닝과 같은 방법을 사용하여 이를 수행할 수 있습니다.

**불균형 데이터 처리**: 교육 통계 내에서 한 클래스가 다른 클래스를 크게 지배하는 클래스 불균형이 발생할 수 있습니다. 소수 클래스의 오버샘플링, 다수 클래스의 언더샘플링 또는 SMOTE(Synthetic Minority Over-sampling Technique)와 같은 알고리즘을 사용하는 기법을 사용하여 불균형 데이터를 처리할 수 있습니다.

**데이터 통합의 장애물 처리:** 여러 출처에서 오는 교육 데이터를 다룰 때 장애물이 발생할 수 있습니다. 데이터 형식, 변수 이름 또는 데이터 품질의 차이로 인한 문제일 수 있습니다. 데이터 매핑 및 표준화와 같은 접근 방식이 데이터를 올바르게 통합하고 정렬하는 데 필요할 수 있습니다.

**노이즈 제거:** 오류나 관련 없는 정보를 포함할 수 있는 노이즈 데이터는 분석에 영향을 줄 수 있습니다. 이상치 탐지, 데이터 유효성 검사 수행 또는 전문가와 상의하여 노이즈 데이터 포인트를 찾아 제거하는 방법을 사용하여 데이터의 품질을 개선할 수 있습니다.

기존 데이터에서 새로운 특성을 추출하는 것을 '특성 공학'이라고 하며, 예측 모델의 정확도를 향상시킬 수 있습니다. 이 단계는 데이터 수집, 상호 작용 항 생성 또는 도메인 지식에 기반한 새로운 변수 생성을 포함할 수 있습니다.

**데이터 유효성 검사 및 품질 보증 검사:** 클리닝 및 전처리가 완료된 후 데이터의 품질과 무결성을 확인하기 위해 데이터에 대한 철저한 테스트를 수행해야 합니다. 데이터의 품질과 일관성을 평가하고 발생할 수 있는 이상 현상이나 오류를 찾기 위한 상식 검사를 수행하는 것을 포함합니다.

**클래스 라벨 및 목표 변수 처리:** 분류 또는 예측 작업을 포함하는 교육 데이터셋에서 클래스 라벨 또는 목표 변수를 올바르게 관리하는 것이 중요합니다. 이는 클래스를 더 균등하게 재분배하거나, 범주를 인코딩하거나, 회귀 작업을 위해 목표 변수를 조정하는 것을 포함할 수 있습니다.

**누락된 시퀀스 또는 시간 간격 처리:** 교육 데이터가 시퀀스 또는 시계열로 구성된 경우, 누락된 값 또는 시간 간격을 적절하게 관리하는 것이 필수적입니다. 누락된 시퀀스를 처리하기 위해 앞쪽 또는 뒤쪽 채우기, 보간 또는 Long Short-Term Memory(LSTM) 네트워크와 같은 특수 접근 방식을 사용할 수 있습니다.

**데이터의 기밀성 및 익명화에 대한 고려:** 교육용 데이터셋은 때때로 학생들이나 기타 개인에 대한 개인 또는 기밀 정보를 포함할 수 있습니다. 데이터 프라이버시에 대한 문제를 해결하고 익명화 기법을 사용하여 개인 식별 정보(PII)를 보호하면서 데이터의 유용성을 유지하는 것이 필수적입니다.

데이터를 학생 수준, 반 수준 또는 학교 수준과 같은 다양한 세분화 수준에서 수집한 다음 집계 및 요약할 수 있습니다. 데이터를 더 높은 수준으로 집계 및 요약함으로써 노이즈를 제거하고 분석에 더 관련성 있는 이해를 얻을 수 있습니다.

**데이터의 일관성 및 오류 처리:** 교육 데이터의 클리닝 및 준비 과정에서 데이터의 일관성 없음 및 오류를 처리하는 것이 포함될 수 있습니다. 이러한 문제는 잘못된 데이터 형식, 불일치하는 값 또는 유효하지 않은 항목을 포함할 수 있습니다. 데이터 감사를 수행하고, 교차 검증을 진행하거나, 데이터 유효성 검사 규칙을 사용하여 이러한 유형의 문제를 찾아내고 수정하는 것이 도움이 될 수 있습니다.

**순서형 또는 간격형 데이터 처리:** 분석 대상 교육 데이터에 순서형 또는 간격형 변수가 포함되어 있는 경우, 적절한 처리 방법을 사용해야 합니다. 이는 순서형 변수를 수치 척도로 변환하거나 변수의 기본 순서에 기반한 순서형 인코딩 방법을 개발하는 것을 포함할 수 있습니다.

**분석을 위한 데이터 형식 변환:** 연구 요구에 따라 데이터를 넓은 형식에서 긴 형식으로 또는 긴 형식에서 넓은 형식으로 변환해야 할 수 있습니다. 이는 피벗 테이블 사용, 데이터셋 결합 또는 필요한 분석 구조에 맞게 배열을 재구성하는 방법을 포함할 수 있습니다.

**데이터의 상호 의존성 또는 계층적 구조 처리:** 교육 데이터는 종종 학생들이 과정이나 기관 내에 중첩되는 계층적 패턴을 포함합니다. 다층 모델링 또는 계층적 클러스터링과 같은 방법을 사용하여 이러한 관계를 고려하면 조사에서 더 정확한 결과를 얻을 수 있습니다.

분류 작업에서 클래스 불균형 처리는 일반적이지만, 회귀 프로젝트에서도 데이터 불균형이 발생할 수 있으며 이를 처리하는 방법을 알아야 합니다. 회귀 분석에서 데이터 불균형을 처리하는 방법에는 층화 샘플링, 가중 손실 함수 또는 앙상블 접근 방식 사용이 포함될 수 있습니다.

**비정형 데이터에서 특성 추출:** 교육 데이터에는 학생 서술, 에세이 또는 피드백 댓글과 같은 비정형 데이터가 포함될 수 있습니다. 자연어 처리(NLP), 감정 분석, 주제 모델링 또는 텍스트 임베딩과 같은 방법을 사용하여 비정형 텍스트 데이터에서 의미 있는 특성을 추출할 수 있습니다.

**시간 기반 특성 공학:** 교육 데이터에는 타임스탬프가 포함되어 있을 수 있으며, 이를 사용하여 요일, 월, 학기 또는 특정 사건 이후 경과한 시간과 같은 시간 기반 특성을 생성할 수 있습니다. 이러한 특성은 데이터 내의 시간적 추세 및 계절성을 식별하는 데 도움이 될 수 있습니다.

**클래스 변경 또는 궤적 분석 처리:** 교육 데이터셋에는 학생들의 발전 또는 다양한 교육 단계(예: 학년 수준 또는 학교) 간의 전환에 대한 정보가 포함될 수 있습니다. 학생 궤적 분석 및 전환 모델링을 수행하면 교육 경로를 연구하고 학생 결과에 영향을 미치는 변수를 식별하는 데 도움이 될 수 있습니다.

**응답 또는 누락 과정 처리:** 참가자를 시간에 따라 추적하는 설문 조사나 연구를 수행할 때, 일부 교육 데이터는 비응답 또는 중도 탈락으로 인해 누락될 수 있습니다. 누락의 기본 과정을 이해하고 다중 대체, 역확률 가중치 또는 민감도 분석과 같은 적절한 절차를 사용하면 편향을 줄일 수 있습니다.

특성의 차원 축소: 데이터셋에 특성이 많은 경우, 희소 코딩이나 오토인코더와 같은 차원 축소 방법을 사용하여 데이터의 차원을 줄이고 문제에 가장 관련 있는 특성에 집중할 수 있습니다. 이는 중요한 패턴을 유지하면서 차원을 줄이는 데

도움이 될 수 있습니다.

**데이터 분할:** 교육 데이터에 대한 모델 분석이나 교차 검증을 수행할 때, 데이터를 테스트, 훈련 및 검증 세트로 분할하는 것이 일반적입니다. 평가 절차의 신뢰성을 유지하기 위해 분할은 무작위로, 특정 변수의 값에 따라 또는 시간 기반으로 수행될 수 있습니다.

**반복적인 정제:** 교육 데이터의 클리닝 및 준비 과정은 종종 반복적인 절차입니다. 이는 결과를 검토하고, 다양한 접근 방식의 영향을 평가하고, 결과 검토에서 얻은 통찰력에 기반하여 전처리 단계를 조정하는 것을 포함합니다. 반복적으로 전처리 파이프라인을 검토하고 개선하면 더 정확하고 신뢰할 수 있는 분석 결과를 얻을 수 있습니다.

교육 데이터의 고유한 특성, 연구 목표 및 사용된 분석 방법은 사용된 전처리 접근 방식을 결정하는 데 모두 중요한 역할을 해야 합니다. 데이터에 대한 포괄적인 이해를 가지고 필요한 경우 도메인 전문가와 협력하여 적절한 준비 방법이 사용되도록 하는 것이 매우 중요합니다.

## 2.3. 누락된 데이터 및 이상치 처리

데이터 준비 및 분석 과정에서 누락된 데이터 및 이상치를 처리하는 것은 필수적인 단계입니다. 다음은 누락된 데이터와 이상치를 처리할 때 사용할 수 있는 몇 가지 일반적인 방법입니다.

**누락된 데이터 식별:** 데이터셋에서 어떤 값이 누락되었는지 파악해야 합니다.. 누락된 데이터는 공백, NaN(숫자가 아님), 또는 기타 플레이스홀더를 사용하여 표시될 수 있습니다.

**누락된 데이터의 원인 이해:** 데이터에 간격이 있는 이유를 파악해 본다고 가정하겠습니다.. 이는 잘못된 데이터 입력, 고장난 장비, 또는 설문에 응답하지 않은 사람들 등 여러 상황 때문일 수 있습니다. 원인을 이해하면 누락된 데이터를 관리하기 위한 가장 적합한 전략을 선택하는 데 도움이 됩니다.

**누락된 데이터 삭제:** 누락된 데이터의 양이 매우 적고 분석에 큰 영향을 미치지 않는 경우, 누락된 값을 포함하는 행이나 열을 데이터 세트에서 제거하기로 결정할 수 있습니다. 그러나 이 방법은 중요한 정보의 손실로 이어질 수 있으므로 주의해야 합니다.

**대체 기법:** 현재 사용 가능한 데이터를 기반으로 누락된 값을 예측하는 과정을 대체라고 합니다. 일반적인 대체 방법으로는 평균 및 중앙값을 사용한 대체, 모드를 사용한 대체, 회귀 모델을 사용한 대체, 다양한 대체를 생성하는 방법 등이 있습니다.

**고급 대체 방법:** 더 복잡한 데이터셋의 경우, k-최근접 이웃(KNN)이나 기대값 최대화(EM), 머신러닝 알고리즘을 사용한 누락값 예측과 같은 고급 대체 전략을 고려할 수 있습니다.

**이상치 식별:** 데이터 나머지 부분과 크게 다른 극단적인 수치를 이상치라고 합니다. 박스 플롯, 산점도, 히스토그램과 같은 플롯을 사용하여 데이터를 시각적으로 검토함으로써 이상치를 찾을 수 있습니다. 이상치를 처리하기 전에 데이터의 맥락과 이상치의 가능한 설명을 이해하는 것이 중요합니다.

**Winsorization 또는 절단:** Winsorization을 사용하면 극단적인 값이 특정 백분위수 범위 내에서 가장 가까운 값으로 대체됩니다. 이 방법은 이상치를 완전히 제거하지 않고도 그 영향을 줄입니다.

**수학적 변환:** 로그 변환, 제곱근 변환 또는 Box-Cox 변환과 같은 수학적 변환을 데이터에 적용하여 이상치의 영향을 줄이고 데이터를 더 규칙적으로 분포시킬 수 있습니다.

**제거:** 이상치가 잘못된 데이터 입력이나 측정 문제로 인한 경우, 특정 상황에서 이상치를 제외하는 것이 타당할 수 있습니다. 그러나 제거가 분석 전반에 편향이나 변경을 초래하지 않

는지 주의 깊게 확인해야 합니다.

**다른 분석 수행:** 이상치를 나머지 데이터와 다르게 고려해야 할 상황이 있을 수 있습니다.

선택한 방법을 불문하고 누락된 데이터와 이상치를 처리하기 위해 채택한 전략을 자세히 기록하는 것이 중요합니다. 이는 연구의 타당성과 재현성에 영향을 미칠 수 있기 때문입니다.

**누락된 데이터 문제 관리:** 해당 분야의 전문 지식을 활용하여 누락된 데이터를 처리하는 방법에 대해 도메인 지식과 해당 분야의 기술을 바탕으로 판단해야 합니다. 데이터와 주제에 대한 충분한 이해가 있다면 상황에 가장 적합한 대체 기법을 선택하거나 특정 누락값을 그대로 둘지 결정하기가 더 쉬울 것입니다.

다중 대체는 누락된 데이터를 처리하기 위해 여러 대체 데이터셋을 생성하는 강력한 방법으로, 누락된 데이터를 대신할 가능성 있는 값을 갖는 여러 대체 데이터셋을 생성합니다. 이 접근법은 대체 데이터 사용과 관련된 불확실성을 고려하여 더 정확한 통계적 추론을 가능하게 합니다.

**민감도 분석:** 누락된 데이터를 관리하는 다양한 방법이 결과에 미치는 영향을 평가하기 위해 민감도 분석을 수행해야 합니다.. 이는 결과의 견고성을 평가하고 사용된 대체 기법에 의해 결론이 부당하게 영향을 받지 않았는지 확인하는 데 도움이 됩니다.

## 2.4 교육 데이터를 위한 특성 선택 및 추출 방법

교육 데이터의 분석을 통해 중요한 패턴, 추세 및 통찰을 발견하는 과정에서 특성 선택 및 추출 기법은 매우 중요한 역할을 합니다. 교육 데이터의 맥락에서 다음은 특성 선택 및 추출을 위해 자주 사용되는 전략의 예입니다.

**목표 변수와의 개별 관계에 기반한 특성 선택:** 이 기법은 목표 변수와의 개별 관계에 기반하여 특성을 선택하는 것을 포함합니다. 카이제곱 검정이나 분산 분석과 같은 통계적 검정을 사용하여 각 특성과 목표 변수 사이의 의존도를 정량화할 수 있습니다. 통계적으로 유의미한 특성만을 분석에 사용하기 위해 선택됩니다.

**재귀적 특성 제거(RFE):** RFE는 모든 특성으로 시작하여 가장 중요도가 낮은 것으로 간주되는 특성을 점차 제거하는 반복적인 절차입니다. 모델을 훈련시키고 각 특성에 대해 계수, 가중치 또는 특성 중요도 점수를 할당하여 상대적 중요도를 결정합니다. 가장 중요도가 낮은 특성이 제거되고, 필요한 특성 수에 도달할 때까지 절차가 계속됩니다.

**주성분 분석(PCA):** PCA는 데이터의 차원을 최소화하면서 가장 많은 정보를 유지하려는 특성 추출 방법입니다. 초기 특성의 선형 조합인 서로 상관관계가 없는 새로운 변수 그룹(주성분이라고 함)을 찾습니다. 이러한 구성요소는 그들의 분산에 따라 정렬되며, 가장 높은 순위를 가진 구성요소는 데이터의 가장 관련성 높은 정보를 나타내는 데 사용될 수 있습니다.

**독립 구성 요소 분석(ICA):** ICA는 관측된 데이터가 독립적인 구성 요소의 선형 조합이라고 가정하는 차원 축소 방법입니다. ICA는 PCA와 달리 데이터를 더 잘 이해하기 위해 통계적으로 독립적인 구성 요소를 식별하려고 합니다. 교육 데이터에서 중요한 특성을 추출하기 위해 사용될 수 있습니다.

**트리 기반 모델에서 파생된 특성 중요도:** 결정 트리와 랜덤 포레스트와 같은 트리 기반 모델은 특정 특성이 모델의 전체 예측 능력에 기여하는 정도에 따라 특성 중요도를 제공할 수 있습니다. 높은 중요도를 가진 특성은 추가 조사를 위해 선택되거나 새로운 파생 특성 개발의 기초로 사용될 수 있습니다.

L1 정규화(Lasso): L1 정규화는 모델의 비용 함수에 페널티 항을 추가하여 일부 특성 가중치가 0이 되는 희소 해를 유도합니다. 예측 모델링을 위한 가장 중요한 특성의 부분 집합을 선택하는 데 사용될 수 있습니다.

주제 영역 경험 및 사전 정보: 교육 데이터 분석에서 주제 영역 경험 및 데이터셋에 대한 사전 정보는 중요한 특성을 선택하고 추출하는 데 매우 유용할 수 있습니다. 해당 분야의 전문가는 관련 변수를 식별하거나 교육 환경의 핵심 특징을 포착하는 복합 특성을 구성하는 데 도움을 줄 수 있습니다.

상관 관계 분석: 상관 관계 분석은 변수 간의 선형 관계의 강도와 방향을 측정하는 방법입니다. 상관 관계 행렬 분석을 통해 관심 변수 또는 서로에게 높은 상관 관계를 가진 특성을

선택하거나 제외할 수 있습니다. 이는 중복되거나 큰 영향을 미치는 요소를 식별하는 데 도움이 됩니다.

**정보 이득 및 상호 정보:** 정보 이득과 상호 정보는 분류 작업에서 특성을 선택하는 데 사용되는 메트릭 유형입니다. 정보 이득은 특정 특성을 선택함으로써 달성할 수 있는 엔트로피 감소를 측정하는 반면, 상호 정보는 두 변수가 공유하는 정보의 양을 측정합니다. 분류 모델의 경우, 높은 정보 이득 또는 상호 정보를 가진 특성을 관련 특성으로 고려할 수 있습니다.

**요인 분석:** 요인 분석은 데이터셋에서 숨겨진 구성 요소나 기본 차원을 찾으려는 통계적 접근 방식입니다. 변수를 관련된 구성 요소로 분류하여 데이터의 차원을 줄일 수 있습니다. 그후, 이러한 특성은 새로운 특성으로 후속 조사에 포함될 수 있습니다.

교육 데이터에 텍스트 데이터가 포함된 경우, 자연어 처리 (NLP) 기법을 사용하여 관련 특성을 추출할 수 있습니다. 용어 빈도-역 문서 빈도(TF-IDF), 단어 임베딩(예: Word2Vec), 주제 모델링(예: 잠재 디리클레 할당), 감정 분석 및 명명된 엔티티 인식과 같은 방법이 이에 해당합니다. 이러한 방법론은 교육 텍스트에서 중요한 정보를 추출하는 데 도움이 될 수 있습니다.

**특성 공학:** 기존 특성을 결합하거나 수정하여 새로운 특성을 설계하는 과정입니다. 이 방법은 도메인 전문 지식을 사용하며, 산술 연산, 구간화, 스케일링, 다항 특성 또는 상호 작용항 생성과 같은 절차를 포함할 수 있습니다. 특성 공학을 통해 변수 간의 복잡한 상호 작용을 포착하는 더 유익한 특성을 구축할 수 있습니다.

**필터 및 래퍼 방법:** 필터 방법은 모델과 독립적으로 특성을 평가하는 반면, 래퍼 방법은 기계 학습 모델의 성능을 고려하여 특성을 선택합니다. 필터 방법은 상관 관계 및 상호 정보와 같은 통계적 지표에 의존하여 특성을 순위 매기는 반면, 래퍼 방법은 특정 모델의 성능(예: 정확도 및 교차 검증 점

수)을 평가 기준으로 사용합니다.

**순차적 특성 선택:** 순차적 특성 선택 기법은 주어진 기준(예: 모델 성능 또는 교차 검증 점수)에 따라 특성의 부분 집합을 성공적으로 추가하거나 삭제하면서 평가합니다. 이러한 접근 방식은 모델의 전체 성능을 최적화하는 특성 부분 집합을 선택하는 데 사용될 수 있습니다.

**군집 분석:** 유사한 데이터 포인트를 기반으로 그룹화하는 방법입니다. 변수를 유사한 것끼리 그룹화한 다음, 클러스터된 변수를 대표하는 단일 대표 특성으로 설명할 수 있습니다. 이는 문제의 차원을 줄이고 각 클러스터에 속하는 변수들이 공유하는 정보를 포착하는 데 도움이 됩니다.

**잠재 디리클레 할당(LDA):** LDA는 자연어 처리에서 자주 사용되는 주제 모델링 방법입니다. 교육 텍스트 데이터에 LDA를 적용하여 문서 내 숨겨진 주제나 테마를 발견할 수 있습니다. LDA는 텍스트를 다양한 주제에 따라 분류함으로써 교육 자료에서 주요 주제를 나타내는 주제 특성을 추출할 수 있습니다.

**시계열 분석:** 교육 데이터에 시간에 따른 정보가 포함되어 있는 경우, 시계열 분석 방법을 사용할 수 있습니다. 이러한 접근 방식은 시간에 따른 패턴이나 추세, 예를 들어 변화율, 성장률 또는 계절성과 같은 특성을 추출하여 사용할 수 있습니다. 교육 데이터의 시계열 특성은 데이터의 시간적 역동성과 발전적 요소에 대한 중요한 통찰을 제공할 수 있습니다.

**딥러닝 기반 특성 추출:** 컨볼루션 신경망(CNN)과 순환 신경망(RNN)과 같은 딥러닝 모델을 사용하여 교육 데이터에서 중요한 특성을 추출할 수 있습니다. 예를 들어, CNN은 다이어그램이나 이미지에서 시각적 특성을 추출할 수 있으며, RNN은 텍스트나 시간 데이터에서 순차적 패턴을 포착할 수 있습니다.

**연관 규칙 마이닝:** 연관 규칙 마이닝은 대규모 데이터 세트에서 흥미로운 상관 관계나 패턴을 찾는 방법입니다. 교육 데이터를 사용하여 자주 함께 나타나는 항목 세트나 특성을 찾을 수 있습니다. 이러한 관계를 사용하여 새로운 파생 특성을 생성하거나 중요한 변수 조합을 식별할 수 있습니다.

**앙상블 방법:** 앙상블 방법은 여러 모델이나 특성 선택 전략을 하나의 접근 방식으로 결합하여 전반적인 성능을 향상시키는 방법입니다. 예를 들어, 가방 끈(bagging), 부스팅(boosting), 스태킹(stacking)과 같은 방법을 사용하여 모델 또는 특성 선택 전략의 앙상블을 개발할 수 있습니다. 이를 통해 다양한 모델이나 방법에서 얻은 정보를 포착하고 보완할 수 있습니다.

**도메인별 특성 선택:** 교육 데이터 분석에서 도메인 지식은 매우 중요합니다. 교육 환경의 특정 측면과 관련된 중요한 특성을 고려하는 것이 필수적입니다. 이는 학생 인구 통계학, 학업 성과, 교육 개입 또는 교육 분야의 다른 측면과 관련된 특

성을 선택하는 것을 포함할 수 있습니다. 이 접근 방식은 빈 집합에서 시작하여 순차적으로 한 번에 하나의 특성을 추가하는 방식으로, 각 단계에서 전체 성능에 가장 큰 기여를 하는 추가를 선택하여 특성 집합에 추가합니다.

**하이브리드 기법:** 하이브리드 기법은 여러 특성 선택 및 추출 방법을 결합하여 각 방법의 보완적인 장점을 활용합니다. 예를 들어, 필터 기법, 래퍼 방법 및 도메인 지식의 조합을 사용하여 특성을 선택하고 추출할 수 있습니다. 이 방법은 특성 선택 과정의 견고성과 효율성을 개선할 수 있습니다.

**임베디드 기법:** 임베디드 기법은 모델 훈련 과정의 일부로 특성 선택을 포함합니다. Lasso(L1 정규화) 및 Elastic Net과 같은 일부 알고리즘은 덜 중요한 특성의 계수를 처벌함으로써 자동으로 관련 특성을 선택하여 특성 공간을 축소합니다. 이러한 접근 방식은 특성 선택과 모델 훈련을 동시에 수행합니다.

**진화 알고리즘:** 유전 알고리즘 또는 입자 군집 최적화와 같은 진화 알고리즘은 최적의 특성 부분 집합을 찾는 데 사용될 수 있습니다. 이러한 알고리즘은 다양한 특성 부분 집합을 평가하여 성능을 측정하는 적합도 함수에 따라 평가하는 인구 기반 접근 방식을 사용합니다. 알고리즘은 가장 바람직한 특성 부분 집합을 발견하기 위해 인구를 반복적으로 진화시킵니다.

**지식 기반 특성 추출:** 지식 기반 특성 추출에서는 전문 지식이나 이론을 특성 추출 과정에 통합합니다. 교육 환경의 중요한 개념, 이론 또는 구조를 포착하는 특별히 설계된 특성을 개발하여 이를 달성할 수 있습니다. 예를 들어, 블룸의 분류 체계 수준이나 과제의 인지 부하를 나타내는 특성을 개발하면 유용한 통찰력을 얻을 수 있습니다.

**딥 특성 추출:** 딥러닝 모델, 예를 들어 오토인코더나 생성적 적대 신경망(GAN)을 사용하여 교육 데이터에서 원시 데이터

로부터 고수준의 추상적 특성을 학습하고 추출할 수 있습니다. 이러한 모델은 복잡한 패턴과 표현을 포착할 수 있으며, 이는 후속 분석 작업을 위한 특성으로 사용될 수 있습니다.

**통계적 텍스트 분석:** 교육 도메인의 텍스트 데이터에 대해 감정 분석, 주제 모델링 또는 단어 빈도 분석과 같은 통계적 텍스트 분석 방법을 적용하여 관련 특성을 추출할 수 있습니다. 이러한 방법을 사용하면 교육 텍스트에서 글의 톤, 주요 주제 또는 핵심 단어와 같은 텍스트 요소를 추출할 수 있습니다.

**시간 기반 특성 추출:** 교육 데이터에 시간 정보가 포함되어 있는 경우, 시간 기반 특성 추출 기법을 사용할 수 있습니다. 이는 시간에 따른 패턴이나 추세를 포착하는 특성, 예를 들어 변화율, 성장률 또는 계절성과 같은 특성을 결정하는 것을 포함합니다. 이러한 특성은 교육 데이터의 시간적 역동성과 발전적 요소에 대한 중요한 통찰력을 제공할 수 있습니다.

**모델 기반 특성 선택**: 모델 기반 특성 선택 기법은 기계 학습 모델을 훈련시키고 모델의 전체 성능에 기여하는 정도에 따라 특성을 선택하는 것을 포함합니다. 결정 트리, 랜덤 포레스트 또는 그래디언트 부스팅 머신(GBM)과 같은 일부 모델은 특성 중요도 점수를 제공할 수 있으며, 이는 선택 과정을 안내하는 데 사용될 수 있습니다.

**통계적 특성 추출**: 통계적 특성 추출 방법은 데이터를 기반으로 통계적 측정값을 계산하여 새로운 특성을 생성하는 것을 포함합니다. 이러한 측정값에는 평균, 표준편차, 왜도, 첨도, 백분위수 값 등이 포함될 수 있습니다. 통계적 특성 추출을 통해 데이터 분포의 중요한 측면을 포착하여 분석을 보다 정확하게 할 수 있습니다.

**정보 이론 기반 특성 선택**: 정보 이론 기반 방법은 엔트로피나 정보 이득과 같은 정보 이론 측정값을 사용하여 각 특성이 제공하는 정보량 또는 불확실성의 양을 정량화합니다. 타겟 변수와의 상호 정보가 높은 특성을 더 유익하게 고려하여 분석에 선택할 수 있습니다.

**순차 부동 전진 선택**(Sequential Floating Forward Selection, SFFS)은 순차 전진 선택 방법의 확장으로, 하나의 특성을 한 번에 추가하면서 각 단계에서 전체 성능에 가장 큰 기여를 하는 특성을 선택합니다. 그러나 이 방법은 선택된 특성 집합에서 성능을 향상시킬 수 있는 경우 특성을 제거할 수도 있습니다. 이는 시스템의 전체 성능을 향상시키기 위해 특성을 추가하고 제거하는 유연한 접근 방식을 제공합니다.

**딥 임베디드 특성 선택**(Deep Embedded Feature Selection, DEFS)은 딥러닝 모델과 특성 선택 과정을 결합한 알고리즘입니다. DEFS는 데이터를 분류하고 동시에 특성을 선택할 수 있는 신경망 구조를 사용합니다. 훈련 과정에서 네트워크는 가장 유익한 특성을 선택하는 능력을 습득합니다.

**계층적 특성 선택**(Hierarchical Feature Selection)은 특성을 서로 유사하거나 상관 관계가 있는 부분 집합으로 분류한 후, 각 부분 집합 내에서 특성을 비교하여 가장 유용한 정보를 제공하는 부분 집합을 선택하는 방법입니다. 이 접근 방식은 다차원 데이터를 다룰 때 특히 유용할 수 있습니다.

**그래프 기반 특성 추출**(Graph-based Feature Extraction)은 교육 데이터를 그래프 또는 네트워크 형태로 표현할 수 있는 경우 사용할 수 있는 기법입니다. 이 방법은 네트워크 특성을 고려하여 구조적 정보를 포착하는 특성을 생성합니다. 예를 들어, 중심성 지표(예: 도수 중심성, 매개 중심성)와 같은 특성, 커뮤니티 식별, 그래프 임베딩 기법 등이 이에 해당합니다.

**분산 기반 필터링**(Variance-based Filtering)은 변동성이 낮은 특성을 제거하는 간단한 특성 선택 방법입니다. 데이터 세트 전체에서 변동이 거의 없는 특성은 구별력이 거의 없을 수 있으므로 제거될 수 있습니다.

**정규화 방법을 통한 특성 선택(Feature Selection through Regularization Methods):** L1 또는 L2 정규화와 같은 정규화 방법을 특성 선택에 적용할 수 있습니다. 이러한 전략은 모델의 목적 함수에 벌칙 항을 도입하여 중요한 특성을 선택하고 중요하지 않은 특성을 억제하는 희소 해(solution)를 촉진합니다.

**메타 특성 학습(Meta-feature Learning):** 메타 특성 학습은 초기 특성을 기반으로 새로운 특성을 학습하는 과정입니다. 이는 먼저 타겟 변수를 예측하기 위해 초기 특성을 사용하여 별도의 모델을 훈련시킨 다음, 학습된 모델의 중간 표현을 새로운 특성으로 사용하는 방식으로 수행될 수 있습니다.

**도메인 적응(Domain Adaptation):** 교육 데이터 분석에서 도메인 적응 기법을 사용하여 한 도메인에서 다른 도메인으로 정보를 전달할 수 있습니다. 이를 통해 관련 도메인에서 추출한 중요한 특성을 교육 데이터 분석 작업에 활용할 수 있습니다.

특성 추출 기법 및 특성 선택 방법의 선택은 교육 데이터의 특성, 연구 목표, 분석 요구에 따라 달라져야 합니다. 일반적으로 여러 전략을 결합하거나 다양한 방법을 순환시켜 특정 교육 데이터 분석 작업에 가장 적합한 특성 조합을 찾는 것이 유리합니다.

## 3.1 서론

탐색적 데이터 분석(Exploratory Data Analysis, EDA)은 교육 분야에서 통계 및 시각화 접근법을 사용하여 교육 데이터로부터 통찰력을 도출하는 방법입니다. EDA는 연구자, 교육자 및 정책 입안자가 교육 데이터의 패턴, 연결고리 및 추세를 이해하여 교육 결과를 개선하고 정확한 정보에 기반한 결정을 내릴 수 있도록 돕습니다. 교육에서 EDA를 사용할 때 염두에 두어야 할 중요한 절차와 고려 사항은 다음과 같습니다.

**정보 수집:** 학생 기록, 설문조사, 평가 또는 관리 정보 시스템과 같은 다양한 출처에서 관련 교육 데이터를 수집합니다. 데이터가 정확하고 신뢰할 수 있으며 연구에 필요한 모든 변수를 포함하고 있는지 확인합니다.

오류 제거 및 데이터 전처리: 분석을 수행하기 전에 데이터를 정제하여 일관성 없는 데이터, 누락된 수치 또는 이상치를 제거합니다. 변수를 표준화하거나 정규화하는 등의 초기 처리를 수행합니다.

**기술 통계:** 수치형 변수의 경우 평균, 중앙값, 최빈값, 표준편차 등의 기술 통계를 계산합니다. 범주형 변수의 경우 빈도 분포를 계산합니다. 이러한 통계는 데이터의 요약을 제공하고 초기 패턴이나 추세를 밝힙니다.

**데이터 시각화:** 데이터의 패턴과 상관관계를 시각적으로 조사하기 위해 데이터의 시각적 표현을 생성합니다. 데이터의 분포, 비교, 상관관계 또는 추세를 나타내기 위해 그래프, 차트, 히스토그램, 상자 그림, 산점도 또는 히트맵을 사용할 수 있습니다. 데이터 시각화는 이상치, 군집 및 기타 관심 패턴을 탐지하는 데 도움이 될 수 있습니다.

**단변량 분석:** 단변량 분석은 변수의 분포, 중심 경향 및 분포를 이해하기 위해 단일 변수를 독립적으로 분석하는 것입니다. 학생 인구 통계, 시험 점수, 출석률 및 교육 자원과 같은 변수를 조사하여 주목할 만한 통찰력을 찾습니다.

**이변량 또는 다변량 분석:** 두 개 이상의 변수 간의 연관성을 이변량 또는 다변량 접근 방식을 사용하여 분석합니다. 예를 들어, 학생 성취도와 사회경제적 지위, 교사의 교육 경험 연수, 반 학생 수와 같은 기준 간의 관계를 고려해 보십시오. 이러한 연결을 조사하기 위해 산점도, 상관 행렬 및 회귀 분석과 같은 방법을 사용할 수 있습니다.

초기 관찰과 가설에 기반한 연구 질문이나 가설을 수립한 다음 이러한 아이디어를 테스트합니다. 변수 간에 통계적으로 유의미한 차이나 연관성이 있는지 확인하기 위해 t-검정, 카이제곱 검정 또는 분산 분석과 같은 통계 분석을 실행합니다. 데이터가 시간적 또는 종단적인 경우 시계열 분석을 사용하여 시간에 따른 변화를 조사합니다. 시계열 분해를 포함한 접근 방식, 선 그래프, 쌓인 막대 차트를 사용하여 패턴, 계절성 또는 추세를 조사합니다. 이러한 방식은 교육 개입의 발전이나 교육 정책의 영향에 대한 유용한 통찰력을 제공할 수 있습니다.

**하위 그룹 분석:** 성별, 인종, 학년 등과 같은 특정 관심 하위 그룹에 초점을 맞춘 연구를 수행합니다. 각 그룹의 성공 또는 실패 수준을 비교하여 특별한 관심이 필요할 수 있는 차이점이나 변동을 발견합니다.

**번역, 분석 및 보고:** 연구 결과를 중요한 결론으로 해석하고 명확하고 간단한 방식으로 전달합니다. 시각적 표현, 통계 요약, 주요 발견 및 조사의 제한 사항을 포함하는 것이 중요합니다. 이러한 발견을 의사 결정 과정, 교육 정책 개발 또는 교육 개입 구현에 적용합니다.

**그룹 비교:** 다양한 그룹 간의 교육 결과 및 성과 차이를 조사합니다. 성별, 인종, 경제 수준 또는 기타 중요한 요소에 따라 하위 그룹을 비교할 수 있습니다. 이 분석을 통해 해결해야 할 성취 격차나 성과 차이를 발견할 수 있습니다.

위치 정보가 포함된 데이터에 접근할 수 있는 경우 지리적 분석을 고려하여 다양한 위치 간의 관계를 더 잘 이해합니다. 학생 성과, 학교 위치 또는 자원 분배를 매핑하여 지리적 추세를 탐지함으로써 교육 정책, 자원 배분 또는 개입 전략에 대한 정보에 입각한 결정을 내릴 수 있습니다.

**데이터 통합:** 교육 환경에 대한 포괄적인 관점을 얻기 위해 다양한 출처에서 파생된 여러 데이터 세트를 통합하는 것이 필요합니다. 예를 들어, 학생 성공 데이터와 교사 특성 또는 학교 재정 데이터를 결합하여 각 요소가 학생 결과에 미치는 영향을 조사할 수 있습니다.

**텍스트 분석:** 자연어 처리(NLP) 방법을 사용하여 학생 에세이, 교사 코멘트 또는 교육 규정과 같은 비정형 텍스트 데이터를 분석합니다. 텍스트에서 주제, 감정 또는 중요한 주제를 추출하여 학생 참여, 교사 관행 또는 정책의 성공에 대한 통찰력을 얻을 수 있습니다.

**클러스터 분석:** 클러스터링 알고리즘을 사용하여 특정 특성에서 유사성을 기반으로 학생, 학교 또는 교육 방법의 그룹 또는 클러스터를 식별하는 방법입니다. 이 접근 방식을 사용하면 교육 시스템 내에서 다양한 프로파일 또는 패턴을 발견할 수 있습니다.

**데이터 보완:** 분석을 개선하기 위해 새로운 변수나 기능을 추가하여 현재 데이터 세트를 보완할 수 있습니다. 예를 들어, 학생 참여 수준, 학교 분위기 또는 부모 참여도를 기반으로 새로운 변수를 개발하여 교육 결과에 영향을 미치는 요소에 대한 보다 완전한 이해를 얻을 수 있습니다.

**모델 평가 및 교차 검증:** 예측 모델링 또는 기계 학습 기법을 사용하는 경우 적절한 교차 검증 방법을 사용하여 모델의 성능을 평가해야 합니다. 정확도, 정밀도, 재현율 또는 F1 점수와 같은 지표를 사용하여 모델을 분석하여 결과의 신뢰성 및 일반화 가능성을 보장합니다.

**공개 데이터 및 복제:** 가능한 경우 공개적으로 접근 가능한 교육 데이터 세트 및 리소스를 사용하여 투명성을 증진하고 다른 연구자가 결과를 복제할 수 있도록 합니다. 이는 교육 분야에서 협력을 촉진하고 지식의 상태를 향상시킵니다.

**데이터의 편향 및 형평성:** 데이터의 편향을 조사하여 연구 결과에 영향을 미치거나 교육 격차를 유지할 수 있는지 주의 깊게 살펴봅니다. 표본이 대표적인지, 편향의 원인이 있는지, 특정 그룹이 과소 대표되었는지 등을 조사하여 연구 결과가 공정하고 형평성 있게 되도록 합니다.

**피드백 및 반복:** 동료, 전문가 또는 기타 이해 관계자로부터 EDA 프로세스와 초기 결과에 대한 피드백을 받습니다. 그들의 제안을 고려하고 분석을 계속 개발하여 관찰과 판단을 정제합니다.

**장기 모니터링:** 교육 성과를 모니터링하고, 이니셔티브를 평가하며, 정책의 효과를 시간이 지남에 따라 추적하려면 지속적인 데이터 수집 및 분석을 위한 구조를 마련하는 것이 중요합니다. 장기 모니터링은 근거에 기반한 의사 결정을 가능하게 하고 지속적인 개선을 촉진합니다.

**협업 데이터 분석:** 연구자, 교육자, 정책 입안자 간의 협력을 촉진하고 교육 문제를 공동으로 해결하기 위해 정보 공유를 장려합니다. 협업 데이터 분석은 학제 간 관점을 촉진하고, 창의력을 자극하며, 교육 설정에서 EDA의 효과를 높일 수 있습니다.

**이상치 분석:** 데이터에서 이상치를 인식하고 조사하여 전체적인 분석에 미치는 영향을 이해합니다. 이상치가 발생한 원인을 조사하고, 이상치가 유효한 데이터 포인트를 대표하는지 확인한 후, 후속 분석에서 처리하거나 제거할지 결정합니다.

**비교 분석:** 다양한 지역, 학교 또는 교육 시스템의 교육 데이터를 비교하여 우수 사례가 적용되거나 개선의 여지가 있는 영역을 발견합니다. 한 상황에서 성공 요인을 파악하고 다른 상황에 적용 가능한지 조사합니다.

**개입 분석:** 특정 교육 개입, 프로그램 또는 정책의 영향을 평가하기 위해 EDA 접근 방식을 사용합니다. 개입 전후 데이터를 분석하여 개입의 효과를 평가하고 추가 주의가 필요한 영역을 강조합니다.

**예측 분석:** 예측 모델링 접근 방식을 사용하여 교육 결과, 예를 들어 학생 성과나 졸업률에 대한 예측을 생성합니다. 결정 트리, 회귀 모델과 같은 기계 학습 기법을 사용하여 과거 데

이터를 분석하고 이러한 패턴을 기반으로 예측을 도출합니다.

**교육 데이터 공유 및 협력 문화 조성:** 교육 커뮤니티에 할 수 있는 가장 중요한 일 중 하나는 데이터 공유 및 협력 문화를 조성하는 것입니다. 개인 및 커뮤니티 학습을 지원하고 연구를 재현할 수 있도록 익명화된 교육 데이터셋, 방법론 및 통찰력 공유를 장려하는 것이 중요합니다.

**데이터 윤리 및 개인 정보 보호:** 교육 데이터를 수집, 보관 및 분석할 때 모든 관련 윤리 규범 및 개인 정보 보호 법률을 준수하는 것이 필수적입니다. 개인 정보를 익명화하고 데이터 보안을 확보하여 학생 및 기타 이해관계자의 개인 정보 보호 및 기밀성을 보호해야 합니다.

**인과성 추론:** 교육 데이터 내 변수 간의 인과 관계를 이해하고 가장 효과적인 통계 방법을 사용하여 조사합니다. 신뢰할 수 있는 원인과 결과 간의 관계에 대한 결론을 도출하기 위해 무작위 대조 시험 또는 성향 점수 매칭과 같은 엄격한 실

험적 또는 준실험적 방법을 사용해야 합니다.

**조기 경보 시스템:** 학업 실패 또는 학교 중퇴 위험이 있는 학생을 탐지하기 위한 조기 경보 시스템에 대한 연구를 설계하고 수행합니다. EDA 방법을 사용하여 중요한 위험 요소를 발견하고 어려움을 겪고 있는 아동을 위한 지원 전략을 제공합니다.

**데이터에 기반한 의사 결정:** EDA에서 제공하는 통찰력을 활용하여 교육 기관 및 정책 입안자가 증거에 기반한 결정을 내릴 수 있도록 합니다. 결과를 사용자 친화적이고 쉽게 접근할 수 있는 방식으로 제시하여 긍정적인 변화와 의사 결정 과정을 장려합니다.

EDA는 교육 분야가 지속적으로 발전할 수 있도록 지속적인 개선 과정으로 간주되어야 합니다. 새로운 데이터를 포함시키고, 방법론을 개선하며, 시간이 지남에 따라 개입이나 정책의 성공을 평가하기 위해 정기적으로 연구를 검토하고 업데이트하는 것이 중요합니다.

**데이터 검증 및 확인**: 데이터 감사를 수행하거나 다른 출처의 데이터와 교차 검증하여 데이터의 정확성과 신뢰성을 보장합니다. 외부 벤치마크나 기준과 비교하여 데이터의 품질과 무결성을 보장합니다.

**비교 분석 벤치마크**: 교육 데이터를 관련 국가 또는 국제 기준과 비교하여 결과의 중요성을 더 잘 이해합니다. 벤치마킹 데이터를 사용하여 교육 기관의 개선이 필요한 영역을 식별하고 달성 가능한 목표를 설정합니다.

**학생 궤적 및 교육 경로 분석**: 학생 궤적 및 교육 경로 분석을 수행하여 학교 변경, 과목 선택 또는 대학 후 경로와 같은 학생 전환에 영향을 미치는 변수를 이해합니다. 학생 결과에 긍정적인 영향을 줄 수 있는 중요한 시점을 식별합니다.

**형평성 분석:** 교육 자원, 기회 및 결과 측면에서 다양한 인구 집단이 어떻게 서비스를 받고 있는지 조사하기 위해 형평성 분석을 수행합니다. 교육 공정성을 촉진하기 위한 정책 및 이니셔티브에 정보를 제공하기 위해 교육 격차와 불평등을 밝히는 것이 중요합니다.

**데이터 마이닝 및 패턴 발견:** 데이터 마이닝 방법을 사용하여 교육 데이터 내에 숨겨진 패턴, 관계 또는 규칙을 발견합니다. 전통적인 평가에서 쉽게 얻을 수 없는 통찰력을 발견하고 의사 결정을 안내하는 데 이러한 통찰력을 사용합니다.

교육 환경 내의 사회적 관계 및 상호 작용을 조사하기 위해 소셜 네트워크 분석을 사용합니다. 학생 결과를 결정하는 데 있어 동료 네트워크, 교사-학생 상호 작용 및 협력 패턴의 역할을 조사합니다.

**장기 예측 모델링:** 과거 데이터를 기반으로 교육의 미래를 예측하기 위해 장기 예측 모델을 생성합니다. 이러한 모델은 교

육 궤적을 개선하기 위해 추가 지원이나 개입이 필요한 학생을 식별하는 데 도움이 될 수 있습니다.

**민감도 분석:** 결과 및 결론의 견고함을 평가하기 위해 민감도 분석을 수행합니다. 가정과 매개변수를 변경하는 것의 영향을 조사하여 결과의 일관성을 더 잘 이해하는 것이 중요합니다.

**데이터 거버넌스 및 관리:** 적절한 데이터 거버넌스 기준을 설정하고 데이터 관리의 모범 사례를 준수하십시오. 데이터 문서화, 데이터 버전 관리, 데이터 저장 및 접근성 관리를 포함하여 투명성, 재현성 및 책임 있는 데이터 처리를 보장합니다.

**현장 전문가와의 협력:** EDA 과정에서 교육자, 관리자 및 기타 교육 실무자와 긴밀히 협력해야 합니다. 그들과 대화를 나누고, 그들의 의견을 구하고, 가능한 경우 결과를 해석하고 적용하는 과정에 그들을 포함시키십시오.

교육에서의 EDA 프로세스는 반복적이고 동적인 것으로 간주되어야 합니다. 기술적 전문 지식, 도메인 지식 및 이해관계자와의 참여를 결합하여 교육 정책, 관행 및 개입을 형성할 수 있는 의미 있는 통찰력을 도출해야 합니다.

## 3.2. 교육 데이터의 시각화

데이터 시각화를 통한 교육 데이터 마이닝은 교육 시스템 내의 통찰력과 경향을 이해하는 효율적인 방법입니다. 데이터 마이닝 기법을 사용하여 교육 기관은 대량의 데이터를 분석하여 이전에 알려지지 않은 패턴, 경향 및 연관성을 발견할 수 있으며, 이를 통해 의사 결정을 개선하고 학생 성과를 향상시킬 수 있습니다. 데이터 시각화는 이러한 마이닝된 데이터를 이해하기 쉬운 시각적 형태로 제공하여 중요한 과정의 일부입니다.

교육 데이터 마이닝에서 일반적으로 사용되는 데이터 시각화 방법 및 전략에는 다음이 포함됩니다.

**히스토그램 및 막대 차트:** 학생 인구 통계, 과목 선택, 성적 분포 등의 범주형 데이터를 나타내는 데 유용합니다. 이들은 데이터의 분포를 간결하게 요약하고 다양한 그룹 간의 비교를 가능하게 합니다.

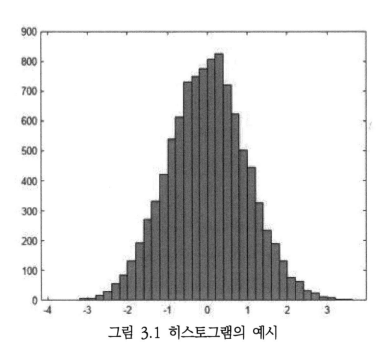

그림 3.1 히스토그램의 예시

**선 그래프:** 학습 결과의 변화나 여러 학기에 걸친 학생 성과의 추세와 같은 시간에 따른 패턴을 보여주는 데 유용합니다. 데이터의 변화를 보여주고 시간에 따른 변화를 시각화하는 데 도움이 됩니다.

**산점도:** 두 변수 간의 관계를 조사할 때 유용합니다. 예를 들어, 학생 출석률과 학업 성취도 또는 학생 참여도와 중퇴율 간의 상관관계를 조사하는 데 사용할 수 있습니다.

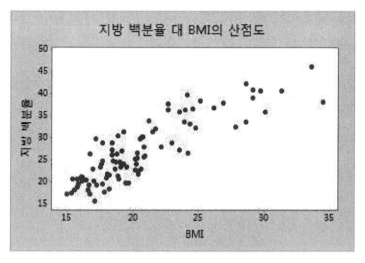

그림 3.2 산점도의 예시

**히트맵:** 대규모 데이터셋을 시각화하고 학생 성과에 대한 경향을 발견하는 데 유용합니다. 다양한 과목, 시간대 또는 학생 그룹 간의 점수 또는 성적 분포를 보여줄 수 있습니다.

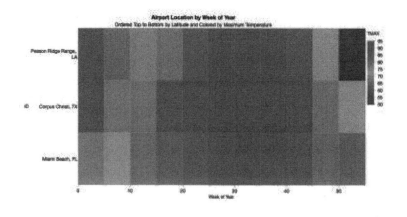

그림 3.3 히트맵의 예시

**네트워크 다이어그램:** 학생, 교사 또는 과목과 같은 교육 시스템의 다양한 요소 간의 상호 작용을 나타냅니다. 이 다이어그램은 네트워크 내에서 중요한 요소나 주요 영향력 있는 요소를 발견하는 데 도움이 될 수 있습니다.

**지리적 시각화:** 지역적 차이, 자원 배분 또는 인구 패턴에 대한 통찰력을 제공합니다. 학교 구역 설정, 자원 배분 또는 개입 전략에 대한 정보에 입각한 결정을 내리는 데 도움이 됩니다.

**대시보드:** 여러 데이터 포인트에 대한 종합적인 개요를 제공하여 교육자와 관리자가 동시에 여러 측면을 분석할 수 있게 합니다. 사용자가 데이터를 더 깊이 탐색하고 구체적인 통찰력을 얻을 수 있도록 다양한 시각화, 필터 및 드릴다운 기능을 포함할 수 있습니다.

**산키 다이어그램(Sankey diagrams):** 학생들이 다양한 교육 단계나 경로를 통해 이동하는 흐름이나 진화를 나타냅니다. 등록 추세, 학교 간 이동, 전공 분포 등을 보여줄 수 있습니다.

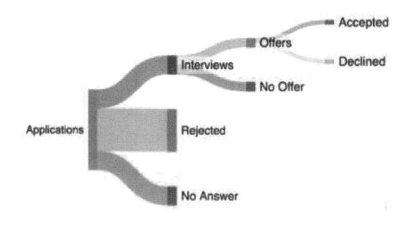

그림 3.4 산키 다이어그램의 예시

**박스 플롯:** 데이터 세트의 분포를 나타내며 중앙값, 사분위수 및 이상치와 같은 측정값을 포함합니다. 다양한 학생 그룹의 성과를 비교하거나 개입의 효과를 평가하거나 가장 효과적인 교수법을 결정하는 데 유용할 수 있습니다.

**워드 클라우드:** 텍스트 데이터에서 개별 단어를 다양한 크기의 클라우드로 표시하여 사용 빈도나 중요도에 따라 달라집니다. 학생 의견, 교사 평가 또는 질적 데이터 분석을 통해

반복되는 주제나 키워드를 밝힐 수 있습니다.

**트리맵:** 데이터를 계층적으로 중첩된 사각형으로 표시하여 교육 데이터의 계층 구조를 나타냅니다. 교육 예산의 분해, 자원 배분 또는 다양한 교육 수준 간의 자원 할당을 보여줌으로써 자원이나 컨텐츠가 어떻게 분배되는지에 대한 심층적인 이해를 가능하게 합니다.

**교육 데이터의 지리정보시스템(GIS) 활용:** 교육 데이터를 지리적 영역에 매핑하기 위해 지리정보시스템(GIS) 기술을 활용할 수 있습니다. 이를 통해 학교의 학생 수, 위치, 여러 성과 지표 등의 정보를 지도상에 표시할 수 있습니다. 이는 지리적 패턴과 지역 불균형을 식별하는 데 도움이 되며, 자원 배분 및 계획에 대한 교육적 결정을 내리는 데 유용합니다.

**레이더 맵의 활용:** 레이더 맵, 또는 스파이더 차트나 스타 플롯으로도 알려진 이 도구는 다양한 개체에 걸쳐 여러 변수를

비교하는 데 매우 유용합니다. 교육 분야에서 레이더 맵은 학생이나 학교의 성능을 학문 분야나 전문 분야 등 다양한 차원에서 나타낼 수 있습니다. 이는 빠른 비교를 가능하게 하며 다양한 영역의 강점과 약점에 주목하게 합니다.

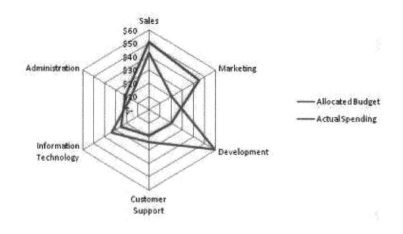

그림 3.5 레이더 맵의 예시

**버블 차트의 활용:** 버블 차트는 데이터 포인트를 2차원 평면 상의 버블로 표시하는 차트 유형입니다. 교육 분야에서 버블 차트는 학생 성취도, 교사 효율성, 자원 사용 등 다양한 요소

를 비교하는 데 사용될 수 있습니다. 버블의 크기는 변수의 크기를 나타내며, 버블의 위치는 차트상의 다양한 범주나 그룹을 나타낼 수 있습니다.

**코드 다이어그램의 활용:** 코드 다이어그램은 다양한 요소 간의 연결과 관계를 시각적으로 나타내는 표현 방법입니다. 교육 분야에서 코드 다이어그램은 학생들과 그들이 선택한 과정 간의 상호 연결, 연구자 간의 협력 네트워크, 학교와 지역사회 그룹 간의 연계 등을 보여줄 수 있습니다. 복잡한 상호작용의 명확하고 이해하기 쉬운 그림을 제공합니다.

**모션 차트의 활용:** 모션 차트, 또는 동적 버블 차트로도 알려진 이 도구는 시간에 따라 변화하는 데이터를 시각적으로 표현할 수 있습니다. 개별 학생의 발전, 교육 지표의 진행, 등록 패턴의 변화 등을 모니터링하는 데 사용될 수 있습니다. 모션 차트는 교육 데이터 내의 시간적 패턴과 트렌드를 이해하는 데 매우 유용한 도구입니다.

**선버스트 차트(Sunburst charts)의 활용:**

선버스트 차트는 데이터를 중첩된 계층으로 나누어 계층적 표현을 제공하는 방법입니다. 교육 자원의 분배나 학생 인구의 구성 등 다양한 범주에 걸친 교육 데이터의 분포를 표시하는 데 유용할 수 있습니다.

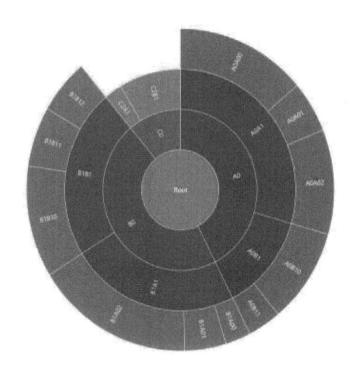

그림 3.6 선버스트 차트의 예시

**코호트 분석의 활용:** 코호트 분석을 통해 시간에 따라 특정 학생 그룹의 성능이나 진전을 관찰할 수 있습니다. 졸업률, 유지율, 학업 성취도 등의 요소를 기반으로 다양한 반을 비교할 수 있습니다. 코호트 분석을 통해 다양한 학생 그룹 간의 트렌드, 패턴, 차이를 발견할 수 있습니다.

**스몰 멀티플스(tiny multiples)의 활용:** 스몰 멀티플스는 데이터의 다양한 하위 집합을 대표하는 작은 표현들의 격자를 구성하는 과정입니다. 이 방법은 동시에 여러 가지 변수나 범주를 비교하는 데 도움이 됩니다. 교육 분야에서는 다양한 학교, 주제, 시간대에 걸친 성과 지표를 표현하는 데 유용할 수 있습니다.

**병렬 세트의 활용:** 병렬 세트, 또는 병렬 좌표 플롯은 다양한 변수를 가진 범주형 데이터를 시각화하는 데 사용됩니다. 이는 복잡한 교육 데이터를 탐색하고 다차원에서의 상관관계나 패턴을 찾는 데 도움을 줄 수 있습니다.

**워드 네트워크의 활용:** 워드 네트워크, 또는 단어 연관 네트워크는 텍스트 데이터에서 특정 단어들이 함께 등장하는 빈도에 기반하여 단어들 사이의 연결과 상호작용을 시각화하는 방법입니다. 교육 분야에서 워드 네트워크는 교육 자료, 연구 논문, 학생 에세이 등을 분석하여 교육 영역 내의 중요한 개념, 주제 클러스터, 또는 관심 영역을 발견하는 데 사용될 수 있습니다. 이를 통해 교수 및 학습 방법을 개선할 수 있습니다.

**3차원 시각화의 활용:** 교육 내용 조사에 사용될 때, 3차원 시각화는 몰입감 있고 참여적인 경험을 제공할 수 있습니다. 3차원 산점도, 표면 플롯, 볼륨 시각화와 같은 기법을 사용하여 다차원 데이터나 지리적 연결을 표현할 수 있습니다. 이는 복잡한 데이터 세트를 조사하거나 가상 환경에서 데이터를 탐색할 때 특히 유용할 수 있습니다.

**네트워크 그래프의 활용:** 네트워크 그래프, 또는 그래프 시각화는 학생, 과정, 기관과 같은 엔티티를 노드로, 그 엔티티들 간의 상호작용을 엣지로 표현하는 데이터 시각화 유형입니다. 교육 네트워크 내에서 이러한 시각화는 연결 패턴, 협력, 영향력의 패턴을 드러내는 데 도움을 줍니다. 네트워크 그래프를 사용하면 그룹의 사회적 역학을 이해하고, 주요 영향력자를 식별하며, 학생이나 연구자 간의 협력 패턴을 분석할 수 있습니다.

**영역 차트의 활용:** 영역 차트는 데이터의 시퀀스를 일련의 영역으로 표시하며, 각 영역은 별도의 범주나 변수를 대표합니다. 시간 경과에 따른 교육 데이터의 누적 또는 비례적 변화를 시각화하는 데 유용합니다. 등록 성장, 예산 배분, 학생 성취도와 같은 다양한 범주에서 패턴을 시각화하는 데 사용될 수 있습니다.

**트리 다이어그램의 활용:** 트리 다이어그램, 또는 계층 다이어그램은 서로 다른 항목 간의 계층적 연결을 보여주는 데 사용됩니다. 교육 분야에서 트리 다이어그램은 학교나 교육 시스템의 조직 구조를 부서, 프로그램, 과정 간의 계층적 관계를 통해 나타내는 데 사용될 수 있습니다.

**간트 차트의 활용:** 프로젝트 관리에서 일반적으로 사용되는 간트 차트는 일정, 마감일 및 의존성을 시각화하는 데 유용한 도구입니다. 교육 분야에서 간트 차트는 교육 이니셔티브의 진행, 커리큘럼 개발 또는 연구 프로젝트 계획 및 시각화에 사용될 수 있습니다. 일정, 이정표 및 자원 배분을 모니터링하는 데 도움이 됩니다.

**파레토 차트의 활용** 파레토 차트는 바 차트와 선 그래프의 조합으로, 여러 범주나 요소의 누적 분포를 보여줍니다. 특정 교육 결과에 가장 큰 기여를 하는 주요 요인을 식별하는 데 유용합니다. 학생 성능이나 기관의 효율성에 영향을 미치는 다양한 요소의 발생 빈도와 영향을 분석하는 데 사용될 수 있습니다.

**워드 임베딩의 활용:** 워드 임베딩은 단어나 텍스트 데이터를 다차원 공간에 표현하는 기법입니다. 이는 단어 간의 의미적 연결과 유사성을 파악할 수 있게 합니다. 교육 분야에서 워드 임베딩은 학생 에세이, 연구 논문, 온라인 토론과 같은 텍스트 데이터 분석에 사용될 수 있으며, 논의되는 주제, 주제, 감정의 기저를 제공할 수 있습니다.

**네트워크 히트맵의 활용:** 네트워크 히트맵은 네트워크 그래프와 색상 매핑을 결합하여 엔티티 간의 연결 강도나 강도를 시각화합니다. 교육 네트워크 내에서 가장 영향력이 크거나 연결된 엔티티, 예를 들어 많은 연결을 가진 학자나 영향력이 큰 학생들을 강조하는 데 유용합니다.

**증강 현실(AR) 시각화의 활용:** 증강 현실(AR) 시각화는 디지털 시각화를 실제 환경 위에 겹쳐서 상호 작용적이고 몰입감 있는 경험을 만듭니다. AR 시각화는 현장 학습, 실험실 실험 또는 상호 작용적 학습 경험과 같은 교실 활동을 향상시키는 데 사용될 수 있습니다. 이를 통해 학생들은 데이터와 동적이고 참여적인 방식으로 상호 작용할 수 있습니다.

**시각화 접근 방식 선택:** 시각화를 통해 전달하고자 하는 특정 데이터와 통찰력에 적합한 시각화 접근 방식을 사용하는 것이 중요합니다. 목표는 교육 분야에서 이해와 의사 결정을 개선하기 위해 통계를 시각적으로 매력적이고 관련성 있게 제시하는 것입니다.

## 3.3 기술 통계 및 요약 지표

데이터 마이닝 과정에서 기술 통계와 요약 지표는 매우 중요합니다. 이들은 데이터 세트의 특성을 요약하고 설명하여 데이터에 대한 통찰력과 더 나은 이해를 제공합니다. 데이터 마이닝에서 자주 사용되는 몇 가지 기술 통계와 요약 지표는 다음과 같습니다:

### 3.3.1 중심 경향의 척도:

● 평균(mean): 데이터 세트의 모든 값을 더한 후 관측치의 총 수로 나눈 평균값입니다.

● 중앙값(median): 데이터가 오름차순이나 내림차순으로 배열됐을 때 가운데 위치한 값입니다.

● 최빈값(mode): 데이터 세트에서 가장 자주 등장하는 값입니다.

### 3.3.2 분산의 척도:

● 범위(range): 데이터 세트에서 최대값과 최소값의 차이입니다.

● 분산(variance): 평균으로부터의 제곱편차의 평균으로, 데

이터가 얼마나 퍼져 있는지를 측정합니다.

- 표준편차(standard deviation): 분산의 제곱근으로, 데이터가 평균으로부터 얼마나 멀리 떨어져 있는지를 나타냅니다.

- 사분위수 범위(interquartile range, IQR): 데이터의 25번째 백분위수(제1사분위수)와 75번째 백분위수(제3사분위수) 사이의 범위로, 데이터의 중간 절반의 분포를 나타냅니다.

### 3.3.3 형태의 척도:

- 왜도(skewness): 데이터 분포의 비대칭도를 측정합니다.

- 첨도(kurtosis): 데이터 분포의 뾰족한 정도를 나타냅니다.

### 3.3.4 빈도 분포:

● 히스토그램(histogram): 데이터의 분포를 막대 그래프로 나타내며, 각 막대의 높이는 특정 구간에 속하는 데이터 포인트의 수를 나타냅니다.

● 빈도 표(frequency table): 데이터 세트의 각 고유값이 나타나는 횟수를 나타내는 표입니다.

### 3.3.5 백분위수:

데이터를 백분위수로 나누어 특정 비율의 관측치가 그 값 이하가 되는 값을 나타냅니다. 예를 들어, 75번째 백분위수는 데이터의 75%가 그 값 이하인 수치입니다.

### 3.3.6 상관관계:

두 변수 간의 선형 관계의 정도와 방향을 나타내는 상관관계. 피어슨 상관 계수와 스피어만 순위 상관 계수가 일반적으로 사용됩니다.

### 3.3.7 이상치:

나머지 데이터 포인트와 크게 다른 극단적인 값입니다. 이상치를 찾고 분석하는 것은 예상치 못한 패턴이나 데이터의 오류를 이해하는 데 도움이 될 수 있습니다.

### 3.3.8 공분산:

두 변수가 함께 변하는 정도를 나타내며, 양의 공분산은 양의 상관관계를, 음의 공분산은 음의 상관관계를 나타냅니다.

### 3.3.9 상관 행렬:

여러 변수 간의 상관 계수를 나타내는 행렬로, 데이터 세트에 포함된 모든 변수 쌍 간의 관계를 종합적으로 보여줍니다.

### 3.3.10 백분위수 순위:

데이터 세트 내에서 특정 값의 위치를 나타내며, 그 값 이하의 값들의 비율을 나타냅니다.

### 3.3.11 사분위수:

데이터를 네 등분으로 나누는 값으로, 각 사분위수는 데이터의 분포를 나타내는 데 사용됩니다.

### 3.3.12 박스 플롯:

데이터의 사분위수, 중앙값, 이상치를 그래픽으로 나타내는 박스 플롯은 데이터의 분포와 범위를 파악하는 데 유용합니다.

이러한 기술 통계 및 요약 지표는 데이터 마이닝 과정에서 패턴 발견, 데이터 전처리, 모델 구축 및 의사 결정 형성에 도움을 줍니다.

## 3.4 데이터 왜도와 첨도:

왜도와 첨도는 데이터 분포의 전반적인 형태를 설명하는 데 사용되는 척도입니다. 이들은 분포의 대칭성, 꼬리의 무게, 그리고 뾰족함을 이해하는 데 도움을 줍니다.

### 3.4.1 표본추출 기법:

데이터의 일부를 선택하여 분석하는 데 사용되는 표본추출 기법에는 클러스터 표본추출, 층화 표본추출, 단순 무작위 표본추출 등이 있습니다.

### 3.4.2 데이터 세분화:

데이터 세분화는 데이터 세트를 특정 기준에 따라 관련성 있고 일관된 세그먼트로 나누는 과정입니다. 이는 데이터 내의 다양한 하위 그룹을 인식하고 분석이나 모델링 방법을 적절히 조정하는 데 도움이 됩니다.

### 3.4.3 시간-사건 분석:

시간-사건 분석, 또는 생존 분석은 사건 발생까지의 시간을 분석하는 기법입니다. 이 분석에는 Kaplan-Meier 추정기와 Cox 비례 위험 모델과 같은 방법이 자주 사용됩니다.

### 3.4.4 데이터 분포 적합:

수집된 데이터에 가장 잘 맞는 확률 분포를 찾는 것이 데이터 분포 적합 과정입니다. 이는 모델링 및 합성 데이터 생성, 후속 분석을 위한 확률 추정에 유용합니다.

### 3.4.5 데이터 마이닝에서의 요약 지표:

기계 학습에서는 정확도, 정밀도, 재현율, F1 점수, 곡선 아래 면적(AUC)과 같은 요약 지표를 사용하여 분류, 회귀 또는 기타 예측 작업의 모델 성능을 평가합니다.

### 3.4.6 데이터 차원 축소 기법:

데이터 차원 축소 기법의 목적은 데이터 세트의 차원을 줄이면서 중요한 정보를 유지하는 것입니다. 주성분 분석(PCA)과 요인 분석과 같은 분석 기법이 이에 해당합니다.

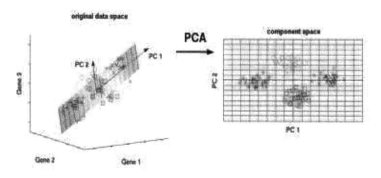

그림 3.7 주성분 분석의 개념

### 3.4.7 연관 규칙:

연관 규칙은 거래 집합 내의 항목 간에 존재할 수 있는 흥미로운 연결이나 패턴을 발견하는 데 사용됩니다. 지지도, 신뢰도, 향상도와 같은 지표를 사용하여 이러한 규칙의 강도와 관련성을 측정합니다.

### 3.4.8 데이터 프로파일링:

데이터 프로파일링은 데이터 세트의 구조와 일관성을 평가하는 과정입니다. 데이터 유형, 누락값, 고유성, 분포를 검토하여 데이터의 무결성과 문제점에 대한 통찰력을 제공합니다.

### 3.4.9 이상치 탐지:

이상치 탐지 방법은 일반적인 패턴이나 예상되는 행동에서 크게 벗어난 데이터 포인트를 식별하는 데 도움을 줍니다. 클러스터링, 통계 검정, 거리 기반 방법 등 다양한 방법을 사용하여 이상치를 식별할 수 있습니다.

이러한 기술 통계 및 요약 지표는 데이터 마이닝 과정에서 패턴 발견, 데이터 전처리, 모델 구축 및 의사 결정 형성에 중요한 역할을 합니다.

## 3.5 교육 분야에서의 예측 모델링

교육 분야에서 "예측 모델링"은 과거 데이터를 분석하고 미래의 교육 성과를 예측하기 위해 통계 및 기계 학습 방법을 사용하는 실천을 의미합니다. 구체적으로, 학생 성과, 졸업률, 중퇴율, 심지어 취업 가능성과 같은 교육의 여러 요소를 예측할 수 있는 모델을 생성하는 것을 포함합니다.

### 3.5.1 교육에서 예측 모델링의 예

**학생 성공 예측**: 이전 학업 기록, 사회경제적 배경, 출석 및

참여도와 같은 기준을 바탕으로 개별 학생의 학업 성공을 예측할 수 있는 예측 모델을 구축할 수 있습니다. 이러한 모델은 과정에서 뒤처질 위험이 있는 학생을 식별하고 적시에 개입 및 지원을 제공하는 데 도움이 될 수 있습니다.

**중퇴 예방:** 예측 모델링은 학교나 대학에서 중퇴 위험이 높은 학생을 식별하는 데 사용될 수 있습니다. 출석, 성적, 행동 및 사회경제적 통계와 같은 지표를 분석함으로써 학교는 이러한 학생들에게 적극적으로 개입하고 대상 지원을 제공할 수 있습니다.

**과정 추천 시스템:** 학생의 관심사, 적성 및 이전 성과를 바탕으로 관련 과정이나 학문 경로를 추천하기 위해 예측 모델을 사용할 수 있습니다. 이 알고리즘은 성공적인 학생의 과거 데이터를 분석하여 개별화된 추천을 제공할 수 있습니다.

**자원 배분:** 예측 모델링은 미래 학생 등록, 특정 과정에 대한 수요 및 교수진 요구를 예측함으로써 교육 기관이 자원 배분

을 최적화하는 데 도움을 줄 수 있습니다.

**조기 개입 및 특수 교육:** 예측 모델은 조기 개입 프로그램이나 특수 교육이 필요할 수 있는 아동을 식별하는 데 유용할 수 있습니다.

**대학 입학 및 학생 성공 예측:** 예측 모델링은 학교와 대학이 학생들이 학업에 성공하고 기관을 졸업할 확률을 예측하는 데 도움을 줄 수 있습니다.

**조기 경보 시스템:** 예측 모델을 사용하여 학업 실패나 관심 상실의 위험이 있는 학생을 식별하는 조기 경보 시스템을 구축할 수 있습니다.

**학생 지원 서비스 자원 배분:** 예측 모델링은 멘토링 및 튜터링 프로그램, 상담 및 튜터링 서비스와 같은 학생 지원 서비스에 대한 자원을 배분하는 데 도움이 될 수 있습니다.

**개인화된 학습:** 예측 모델은 학생의 이전 성과 및 학습 선호도와 학업 강점을 분석하여 개인화된 학습 경로, 적응형 콘텐츠 및 대상 개입을 제공함으로써 개인화된 학습 노력을 지원할 수 있습니다.

**유지 및 졸업률 향상:** 예측 모델은 학생 유지 및 졸업률에 기여하는 요인을 식별하는 데 도움을 줄 수 있습니다.

**교육 정책 및 개입 개발 지원:** 예측 모델링은 교육 정책 및 개입의 개발을 안내하는 데 사용될 수 있습니다.

**교육 연구 지원:** 예측 모델링은 교육 연구를 지원하는 데 사용될 수 있습니다.

**적응형 평가 및 피드백:** 예측 모델은 적응형 평가 시스템을 구축하는 데 사용될 수 있습니다.

**조기 아동 교육:** 예측 모델링은 조기 아동 교육에서 중요한

요인을 밝혀내는 데 사용될 수 있습니다.

**학생 참여 및 동기 부여 예측**: 예측 모델링은 학생 참여 및 동기 부여를 분석하고 예측하는 데 도움이 될 수 있습니다.

**교육 경로 계획**: 예측 모델은 학생들이 교육 경로를 계획하는 데 도움을 줄 수 있습니다.

**개입 프로그램 자원 배분**: 예측 모델링은 특정 교육 결과를 개선하기 위한 개입 프로그램에 대한 자원 배분을 지원하는 데 사용될 수 있습니다.

**교육 트렌드 예측**: 예측 모델링은 미래의 교육 문제와 기회를 예측하고 교육 트렌드를 예측하는 데 사용될 수 있습니다.

**개인화된 교육**: 예측 모델은 개인화된 교육 계획을 구축하는 데 도움을 줄 수 있습니다.

**학생 지원 시스템**: 예측 모델은 포괄적인 학생 지원 시스템을

구축하는 데 기여할 수 있습니다.

**교육 금융 계획:** 예측 모델은 교육 금융 계획을 지원하는 데 사용될 수 있습니다.

**교육 과정 개발:** 예측 모델은 교육 과정 개발을 지원하는 데 사용될 수 있습니다.

**교사 지원 및 전문성 개발:** 예측 모델은 교사 지원 및 전문성 개발을 지원하는 데 사용될 수 있습니다.

**학교 개선 및 책임성 측정:** 예측 모델은 학교 개선 및 책임성 측정을 지원하는 데 사용될 수 있습니다.

**교육 평등 및 접근성:** 예측 모델은 교육 평등 및 접근성을 증진하는 데 기여할 수 있습니다.

**학습 결과 및 기술 개발 궤적 예측:** 예측 모델은 학습 결과 및 기술 개발 궤적을 예측하는 데 사용될 수 있습니다.

**관리자를 위한 의사 결정 지원 시스템:** 예측 모델은 관리자를 위한 의사 결정 지원 시스템을 제공할 수 있습니다.

**부모 및 가족 참여 노력:** 예측 모델은 부모 및 가족 참여 노력을 지원하는 데 사용될 수 있습니다.

**교육 데이터 분석:** 예측 모델링은 교육 데이터 분석의 핵심 구성 요소로, 교육 기관이 다양한 데이터 소스에서 유용한 정보를 추출할 수 있게 합니다.

**교육 연구 및 장기 연구:** 예측 모델링은 교육 연구 및 장기 연구를 지원하는 데 사용될 수 있습니다.

**교육 개입의 효과성:** 예측 모델링은 교육 개입의 효과성을 평가하는 데 사용될 수 있습니다.

**우수 학생에 대한 보다 정밀한 지원:** 예측 모델은 우수 학생을 식별하고 추가 도전이나 고급 교육을 제공하는 데 도움을 줄 수 있습니다.

**재입학:** 예측 모델은 학교를 떠난 학생들을 식별하고 재입학 노력을 지원하는 데 도움을 줄 수 있습니다.

**대학 및 직업 준비:** 예측 모델은 학생들이 대학이나 직장에 준비되어 있는지를 평가하는 데 도움을 줄 수 있습니다.

**제안된 교육 개혁 및 정책의 영향:** 예측 모델링은 제안된 교육 개혁 및 정책의 잠재적 영향을 평가하는 데 사용될 수 있습니다.

**조기에 우수하고 재능 있는 개인 식별:** 예측 모델은 조기에 우수하고 재능 있는 개인을 식별하는 데 도움을 줄 수 있습니다.

**학생 정신 건강 및 감정적 안녕:** 예측 모델은 학생의 정신 건강이나 감정적 안녕에 문제가 있을 수 있는 학생을 식별하는 데 도움을 줄 수 있습니다.

**학교 기후 및 안전 문제:** 예측 모델은 학교 기후 및 안전 문제를 분석하고 예측하는 데 도움을 줄 수 있습니다.

**적응형 학습 플랫폼:** 예측 모델은 적응형 학습 플랫폼을 구동하는 데 사용될 수 있습니다.

**협력 및 정보 공유:** 예측 모델링은 교육 기관, 연구자 및 정책 입안자 간의 협력 및 데이터 공유를 촉진하는 데 도움을 줄 수 있습니다.

이러한 주제들은 교육에서 예측 모델링의 다양한 응용 분야를 강조하며, 개별 학생 지원부터 시스템 수준의 교육 정책 및 변화에 이르기까지 폭넓게 활용됩니다. 데이터와 예측 분석의 힘을 활용함으로써, 교육 이해관계자는 데이터에 기반한 결정을 내리고, 자원을 최적화하며, 학생들의 교육 경험을 향상시킬 수 있습니다.

## 3.6 예측 모델링 기법 개요

다양한 연구 분야에서 예측 모델링 방법은 과거 데이터와 추세를 기반으로 예측이나 전망을 제공하기 위해 사용됩니다. 이러한 접근법은 데이터를 분석하여 정보 내에 숨겨진 연결과 패턴을 발견하고, 그 발견을 미래 사건의 예측에 적용하기 위해 통계 알고리즘과 기계 학습 기술을 사용합니다. 여기서는 다양한 일반적인 예측 모델링 접근법에 대한 개요를 제공합니다:

**선형 회귀(Linear Regression):** 선형 회귀는 종속 변수와 하나 이상의 독립 변수 사이의 선형 관계를 생성하는 데 자주 사용되는 방법입니다. 이 방법은 관계가 선형이라고 가정하고 관측된 값과 예상된 값 사이의 제곱 차이의 합을 최소화하는 최적의 선을 찾습니다.

**로지스틱 회귀(Logistic Regression):** 종속 변수가 이진 또는 범주형인 경우 사용되며, 독립 변수의 값에 따라 사건이 발생할 확률을 계산합니다. 변수 간의 관계를 나타내기 위해 로지스틱 함수를 사용합니다.

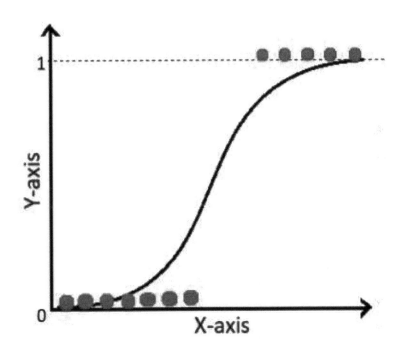

그림 3.8 로지스틱 함수의 개념

**결정 트리(Decision Trees):** 입력 특성 값에 따라 결정이나 행동을 나타내는 노드의 계층적 구조입니다. 데이터를 특성 값에 따라 분할하여 트리 모양의 모델을 만들고 예측을 수행

합니다. 결정 트리는 범주형 및 수치 데이터를 모두 처리할
수 있으며 이해하기 쉽습니다.

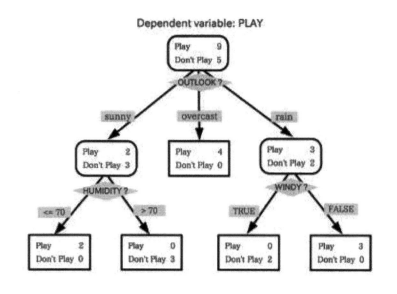

그림 3.9 결정트리의 예시

랜덤 포레스트(Random Forest): 여러 결정 트리의 결과를
결합하여 예측을 수행하는 앙상블 학습 방법의 일종입니다.
결정 트리 집합을 생성하고 그 예측 결과를 투표 또는 평균
화하여 집계합니다. 랜덤 포레스트는 큰 데이터셋을 처리할

수 있으며 데이터에 대한 과적합 가능성이 낮습니다.

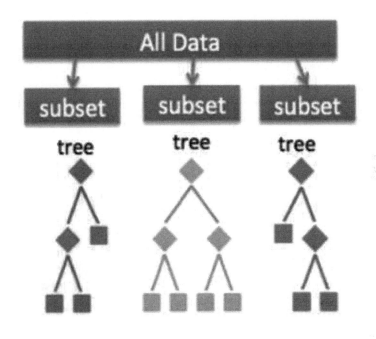

그림 3.10 랜덤 포레스트의 예시

그래디언트 부스팅(Gradient Boosting): 앙상블 학습의 또 다른 전략으로, 손실 함수를 최소화하기 위해 약한 학습자를 순차적으로 추가하여 가법 모델을 생성합니다. 각 약한 학습 자를 이전 모델의 잔차에 대해 훈련시키며 점진적으로 전체 예측 정확도를 향상시킵니다.

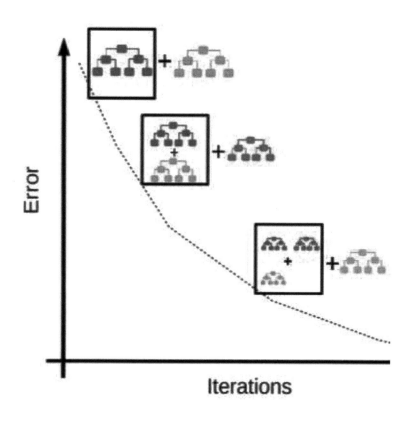

그림 3.11 그래디언트 부스팅의 개념

서포트 벡터 머신(Support Vector Machines, SVM): 데이터를 최적으로 분리하는 이상적인 초평면을 찾아 다양한 클래스를 분류하는 지도 학습 방법입니다. 입력 데이터를 더 높은 차원의 공간으로 매핑한 다음, 클래스 간의 마진이 가장 큰 초평면을 찾습니다.

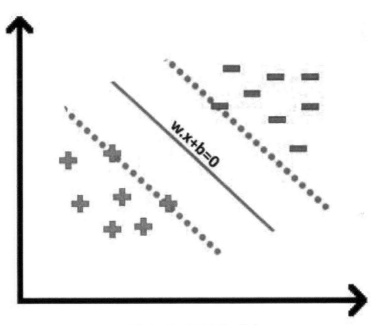

그림 3.12 SVM의 개념

신경망(Neural Networks): 복잡한 패턴과 대규모 데이터셋을 처리할 수 있는 능력으로 인해 최근에 큰 인기를 얻고 있습니다. 데이터를 입력받아 처리하고 변환하는 노드(뉴런)의 계층적 네트워크로 구성됩니다. 신경망은 복잡한 비선형 상호작용을 학습할 수 있습니다.

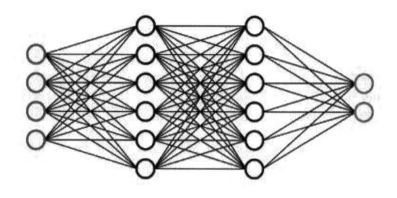

그림 3.13 신경망의 개념

**시계열 분석(Time Series Analysis):** 시간에 따라 수집된 데이터를 평가하고 예측하는 방법으로, ARIMA 모델, 지수 평활, 순환 신경망(RNN)과 같은 다양한 방법이 자주 사용됩니다.

**K-최근접 이웃(K-Nearest Neighbors, KNN):** 새로운 데이터 포인트를 기존 데이터 포인트와의 유사도에 따라 분류하는 간단하고 직관적인 알고리즘입니다. 데이터 포인트의 K개 가장 가까운 이웃의 클래스를 고려하여 분류합니다.

**나이브 베이즈(Naive Bayes):** 베이즈 정리를 사용하며, 분류되는 특성들이 서로 독립적이라는 가정 하에 데이터 포인트가 특정 카테고리에 속할 확률을 계산합니다. 나이브 베이즈는 텍스트 분류와 스팸 필터링에 효율적입니다.

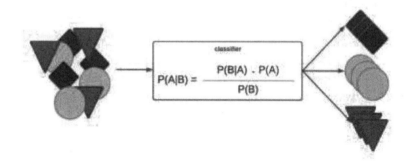

그림 3.14 나이브 베이즈의 개념

**클러스터링(Clustering):** 유사한 데이터 포인트를 기반으로 그룹화하는 기법으로, 탐색적 데이터 분석이나 예측 모델링의 전처리 단계에서 자주 사용됩니다. k-평균, 계층적 클러스터링, DBSCAN과 같은 알고리즘을 통해 클러스터링 작업을 수행합니다.

**연관 규칙 마이닝(Association Rule Mining):** 대규모 데이터셋에서 빈번한 항목 집합을 찾아내고 연관 규칙을 생성하는 기법입니다. 시장 바구니 분석에서 자주 사용되며, 지지도(support)와 신뢰도(confidence), 향상도(lift)와 같은 지표를 사용하여 규칙의 강도와 관련성을 측정합니다.

**생존 분석(Survival Analysis):** 특정 사건이 발생하기까지의 시간을 분석하고 예측하는 기법으로, 경제학, 고객 이탈 분석, 의료 연구 등에서 사용됩니다. 생존 분석은 Kaplan-Meier 추정기와 Cox 비례 위험 모델과 같은 통계 모델과 방법을 자주 사용합니다.

**유전 알고리즘(Genetic Algorithms):** 자연 선택과 유전학의 원리에서 영감을 받은 최적화 알고리즘으로, 선택, 교차, 돌연변이 연산을 통해 가능한 해결책의 집단을 진화시켜 최적의 해를 반복적으로 찾습니다. 복잡한 검색 공간과 최적화 문제를 다룰 때 유용합니다.

**앙상블 기법(Ensemble Methods):** 여러 예측 모델을 결합하여 예측의 정확도와 견고성을 향상시키는 기법입니다. 데이터의 다양한 하위 집합에서 모델을 훈련시키는 배깅(bagging)과 메타 학습자의 도움으로 모델을 결합하는 스태킹

(stacking)이 포함됩니다. 앙상블 기법은 편향과 분산을 줄이고 일반화를 개선하는 데 도움을 줍니다.

**은닉 마르코프 모델(Hidden Markov Models, HMM)**: 숨겨진 상태를 가진 시스템을 설명하는 통계 모델로, 음성 인식, 자연어 처리, 생물정보학 등의 시퀀스 데이터 분석에 주로 사용됩니다. HMM은 상태 간의 전이 확률과 특정 데이터의 방출 확률을 모델링합니다.

**주성분 분석(Principal Component Analysis, PCA)**: 데이터의 차원을 축소하면서 데이터의 가장 중요한 정보를 보존하는 방법으로, 데이터의 주요 구성 요소를 찾아 가장 많은 변동성을 설명하는 방향으로 데이터를 변환합니다. PCA는 데이터의 시각화, 특징 추출, 노이즈 감소에 도움을 줍니다.

**강화 학습(Reinforcement Learning)**: 에이전트가 환경과 상호작용하며 보상 신호를 최대화하기 위한 결정을 학습하는 기계 학습의 한 분야입니다. 로봇 공학, 게임 플레이, 자율 시스템 등에서 사용되며, Q-러닝과 딥 Q-네트워크(DQN)와 같은 방법이 자주 사용됩니다.

**가우시안 프로세스(Gaussian Processes)**: 회귀 작업에 유용한 확률 모델로, 데이터의 다양한 함수 분포를 모델링하고 불확실성 추정과 함께 예측을 제공합니다. 가우시안 프로세스는 비선형 관계와 비정상 데이터를 다룰 수 있는 유연성을 가지고 있습니다.

**생존 회귀(Survival Regression)**: 생존 분석과 회귀 모델링 기법을 결합하여 예측 변수와 사건 발생까지의 시간 사이의 관계를 모델링하는 방법입니다. 고객 이탈률, 고상률, 질병 재발 시간 등 시간 종속적 결과를 예측하는 데 유용합니다.

**장단기 기억(Long Short-Term Memory, LSTM)**: 순차적 입력에서 장기 의존성을 포착하기 위해 설계된 순환 신경망(RNN)의 한 종류입니다. 메모리 셀을 통해 시간에 따라 정보를 선택적으로 기억하거나 잊을 수 있습니다. LSTM은 자연어 처리, 음성 인식, 시계열 예측에 널리 사용됩니다.

XGBoost: 속도와 성능을 위해 최적화된 그래디언트 부스팅 방법으로, 기존 그래디언트 부스팅 알고리즘에 비해 정규화, 병렬 처리, 결측치 처리 기능을 향상시켰습니다. XGBoost는 분류, 회귀, 랭킹과 같은 다양한 예측 작업에서 뛰어난 성능을 보입니다.

**심층 강화 학습(Deep Reinforcement Learning):** 심층 강화 학습은 강화 학습 기법과 심층 학습 모델의 기법을 결합합니다. 심층 신경망을 사용하여 강화 학습 문제의 가치 또는 정책 함수를 근사할 수 있습니다. 심층 강화 학습은 게임 플레이, 로봇 공학, 자율 주행 자동차 등 다양한 어려운 응용 분야에서 큰 성공을 거두었습니다.

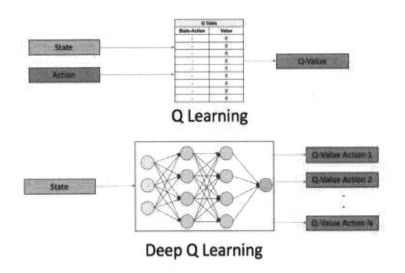

그림 3.15 Deep Q러닝의 개념

**오토인코더(Autoencoders)**: 오토인코더는 입력된 데이터를 재현하도록 학습할 수 있는 신경망 모델입니다. 비지도 학습과 차원 축소에 이 모델들이 사용됩니다. 오토인코더는 인코더 네트워크와 디코더 네트워크로 구성됩니다. 인코더 네트워크는 입력 데이터를 저차원 잠재 공간으로 매핑하고, 디코더 네트워크는 잠재 표현을 취해 원본 입력을 재구성합니다. 이상 탐지와 데이터 생성에도 이 도구들이 사용됩니다.

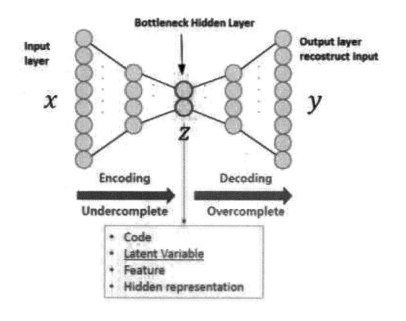

그림 3.16 오토인코더의 개념

**가우시안 혼합 모델**(Gaussian Mixture Models, GMM): 가우시안 혼합 모델은 데이터 분포를 여러 가우시안 분포의 조합으로 나타내는 확률 모델입니다. GMM은 클러스터링 작업과 밀도 추정에 유용합니다. 복잡한 패턴과 겹치는 그룹을 인식할 수 있습니다.

**생존 랜덤 포레스트(Survival Random Forest):** 생존 랜덤 포레스트는 생존 분석을 위해 랜덤 포레스트 방법을 확장한 것입니다. 이 방법은 생존 분석 전략과 랜덤 포레스트 방법론을 결합하여 사건이 발생하기 전까지의 시간을 예측합니다. 생존 랜덤 포레스트는 검열된 데이터를 처리할 수 있으며 시간이 지남에 따라 변하는 요인을 추가할 수 있습니다.

**순환 신경망(Recurrent Neural Networks, RNN):** 순환 신경망은 내부 메모리를 유지하고 순차적 입력을 처리할 수 있는 신경망 형태입니다. 시간에 걸쳐 의존성과 패턴을 식별할 수 있습니다. RNN은 자연어 처리, 음성 인식, 시계열 예측 등의 활동에 광범위하게 사용됩니다.

**스태킹(Stacked Generalization, Stacking):** 스태킹은 여러 모델을 통합하는 앙상블 학습 전략입니다. 이는 개별 모델에 의해 만들어진 예측을 기반으로 메타-러너를 훈련시켜 예측을 생성함으로써 달성됩니다. 별도의 모델들은 기본 학습자로

작용하며, 메타-러너는 그들의 예측을 고려하여 출력을 결정합니다. 스태킹을 사용함으로써 여러 모델의 강점을 활용하여 예측 성능을 향상시킬 수 있습니다.

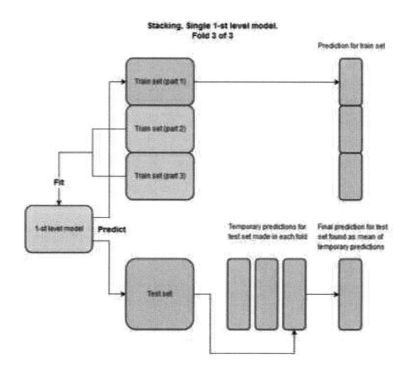

그림 3.17 스태킹의 개념

**베이지안 네트워크(Bayesian Networks):** 베이지안 네트워크는 변수들 사이의 확률적 연결을 나타내는 그래픽 모델입니다. 베이지안 추론을 통해 예측을 하고 확률적 추론을 수행합니다. 복잡한 시스템 모델링, 불확실성 관리, 인과 추론 수행 등에서 베이지안 네트워크가 뛰어납니다.

**딥 빌리프 네트워크(Deep Belief Networks, DBN):** 딥 빌리프 네트워크는 심층 학습의 아이디어와 확률적 그래픽 모델을 결합한 계층적 생성 모델입니다. 데이터의 계층적 표현을 학습할 수 있으며, 여러 층의 은닉 유닛으로 구성됩니다. 차원 축소, 특징 학습, 심지어 생성 모델링 등 다양한 목적으로 DBN이 사용되었습니다.

**전이 학습(Transfer Learning):** 전이 학습은 하나의 작업에서 얻은 정보를 별개이지만 관련된 다른 작업을 수행하는 데 적용하여 두 작업 모두에서 성능을 향상시키는 방법입니다. 사전 훈련된 모델을 출발점으로 사용하고 특정 작업을 수행하기 위해 이 모델들을 미세 조정합니다. 타겟 작업에 대한 훈련 데이터가 부족한 상황에서 특히 유용합니다.

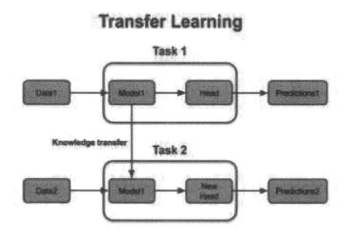

그림 3.18 전이 학습의 개념

워드 임베딩(Word Embeddings): 워드 임베딩은 단어 사이의 의미적 및 문맥적 연결을 고려한 벡터 형태의 단어 표현입니다. Word2Vec과 GloVe는 단어가 나타나는 맥락에 따라 단어의 분산 표현을 학습할 수 있는 기술의 예입니다. 워드 임베딩은 언어 번역, 감정 분석, 텍스트 분류를 포함한 자연어 처리 작업에 광범위하게 사용됩니다. 이 외에도 정보 검색 등 다른 응용 분야에서도 워드 임베딩이 활용되고 있습니다. 이러한 추가적인 방법들은 다양한 분야에서 예측 모델링을 위해 사용될 수 있는 다양한 방법론을 제공합니다. 문제의 성격, 데이터의 특성 및 사용 가능한 자원에 따라 이러한 접근법 중 하나 또는 그 조합을 사용하여 정확하고 신뢰할 수 있는 예측 모델을 구축할 수 있습니다. 결론적으로 이러한 예측 모델링 기법들은 교육 빅데이터의 숨겨진 연결과 패턴을 발견하고 미래 사건을 예측하는 데 도움을 줄 것입니다.

# 4장. 교육 데이터에서의 패턴 및 추세 식별

## 4.1 서론

교육 데이터를 분석하여 패턴과 추세를 찾아내는 것은 학생 성과, 교수 방법, 그리고 기타 관련 주제들을 포함한 교육 시스템의 다양한 영역에 대한 유용한 통찰을 제공할 수 있습니다. 다음은 교육 데이터 내에서 구별될 수 있는 일반적인 패턴과 추세의 목록입니다.

**등록 추세 분석:** 등록 데이터 분석을 통해 학생 인구 통계의 추세, 예를 들어 성별 분포, 문화적 다양성 또는 사회경제적 배경 등을 파악할 수 있습니다. 이 정보는 교육 정책을 수립하고 교육 기관을 관리하는 데 도움이 될 수 있습니다.

**성과 추세 추적:** 시간에 따른 학생 성과 추적을 통해 학업 성취도의 패턴을 밝혀낼 수 있습니다. 예를 들어, 시험 점수나

성적 분포 분석을 통해 학생들이 꾸준히 성공하거나 어려움을 겪는 과목이나 영역을 파악할 수 있습니다. 이러한 지식을 바탕으로 교사들은 교수 전략을 더욱 맞춤화하고 개입 프로그램을 개발할 수 있습니다.

**이탈률 및 유지율:** 학생 이탈률 분석을 통해 학생 손실과 관련된 패턴과 추세를 밝혀낼 수 있습니다. 학교 이탈과 관련된 일반적인 요인을 식별함으로써 기관은 학생 유지를 촉진하고 위험에 처한 학생들을 지원하기 위한 조치를 취할 수 있습니다.

**평가 데이터 분석:** 평가 데이터 분석을 통해 학생 학습 결과의 패턴을 찾아낼 수 있습니다. 이는 특정 주제나 학습 목표와 관련된 강점과 약점을 드러낼 수 있습니다. 교육자들은 이 정보를 사용하여 교육 과정 설계, 교수 방법, 자원 배분을 조정할 수 있습니다.

**기술 채택 및 사용 추세 추적:** 교사와 학생들 사이에서 기술의 채택 및 사용 추세를 추적함으로써 다양한 교육 기술 솔루션의 효율성에 대한 귀중한 정보를 얻을 수 있습니다. 기술 통합, 사용자 선호도 또는 사용자가 직면하는 문제에 대한 패턴을 식별하는 데 도움이 될 수 있습니다.

**졸업률 분석:** 졸업률 분석을 통해 학생들이 학업 프로그램을 성공적으로 완료하는 데 관련된 추세를 식별할 수 있습니다. 기관은 높은 졸업률과 관련된 요소를 연구함으로써 졸업률을 향상시키기 위한 방안을 마련할 수 있습니다.

**학습 분석:** 학습 분석은 교육 플랫폼과 학습 관리 시스템에서 생성된 방대한 데이터를 수집 및 분석하여 개별 학생의 참여, 상호작용 및 발전에 대한 통찰을 제공합니다. 이 데이터 분석을 통해 학습 패턴, 학습 습관 또는 특정 학습 자료의 효율성에 대한 통찰을 얻을 수 있습니다.

**자원 배분 패턴 분석:** 교육 데이터 분석을 통해 자원 배분의 패턴을 식별할 수 있습니다. 예를 들어, 자금 분배, 인력 패턴 또는 인프라 사용에 대한 패턴을 찾아낼 수 있습니다. 이는 정책 입안자들이 교육 결과를 개선하기 위해 자원 배분을 최적화하는 데 도움이 되는 정보를 제공할 수 있습니다.

**교육 형평성 추세 분석:** 교육 데이터 분석을 통해 다양한 학생 그룹 간의 교육 접근, 기회 및 결과에 대한 격차를 밝혀낼 수 있습니다. 이러한 추세를 식별하는 것은 교육 격차를 줄이고 포괄적인 교육 관행을 보장하기 위한 노력에 유용한 통찰을 제공할 수 있습니다.

**교수 방법 분석:** 교수 방법, 교수 전략 또는 교육적 접근 방식에 대한 데이터를 분석함으로써 성공적인 교수 관행의 패턴을 발견할 수 있습니다. 이 정보는 교육자의 전문 개발 프로그램을 지원하거나 연구 기반의 교수 관행 개발을 촉진하는 데 사용될 수 있습니다.

**학생 출석 패턴 분석:** 학생 출석 데이터 분석을 통해 학생 결석, 지각 또는 전반적인 출석률의 패턴을 식별할 수 있습니다. 이 정보를 사용하여 학생 출석에 영향을 미치는 요인을 더 잘 이해하고 출석률을 높이기 위한 전략을 개발할 수 있습니다.

**학부모 참여 패턴 분석:** 학부모-교사 회의 참석, 자원봉사 활동 참여 또는 교사와의 소통과 같은 학부모 참여 데이터 분석을 통해 학부모 참여의 신흥 패턴을 파악할 수 있습니다. 이러한 패턴을 이해함으로써 학부모 참여를 증진하고 학생 결과에 긍정적인 영향을 미치는 노력을 지향할 수 있습니다.

**특수 교육 서비스 분석:** 특수 교육 서비스, 맞춤형 학습 계획 또는 특별한 필요를 가진 학생들에게 제공되는 조정에 대한 데이터 분석을 통해 다양한 지원 시스템의 사용 및 효과에 대한 추세를 식별할 수 있습니다. 이는 다양한 학습자를 위한 맞춤형 학습 접근 방식을 개선하는 데 기여할 수 있습니다.

**학생 경력 경로 분석:** 학생 경력 경로 데이터, 예를 들어 전공 선택, 인턴십 또는 졸업 후 취업 배치에 대한 데이터 추적을 통해 경력 준비 및 결과에 대한 패턴을 식별할 수 있습니다. 이 정보는 교육 프로그램을 안내하고, 교육 과정을 노동 시장의 요구와 일치시키며, 경력 상담 노력을 시작하는 데 유용할 수 있습니다.

**학습 선호도 분석:** 학생 피드백, 강의 평가 또는 설문 조사 결과와 같은 학습 선호도 데이터 분석을 통해 선호하는 교수 형식, 교수 방법 또는 학습 환경에 대한 통찰을 얻을 수 있습니다. 이 정보는 학습 설계와 교수 결정을 안내하여 학생 참여와 만족도를 극대화할 수 있습니다.

**디지털 학습 추세 분석:** 온라인 강의 등록, 디지털 자료 소비 또는 가상 학습 플랫폼과의 상호작용에 대한 데이터 분석을 통해 디지털 학습 추세에 대한 패턴을 밝혀낼 수 있습니다. 이 정보는 온라인 학습 경험을 향상시키고 디지털 리터러시 활동을 안내하는 데 도움이 될 수 있습니다.

**전문 개발의 영향 분석:** 교육자가 참여한 전문 개발 프로그램에 대한 데이터 분석을 통해 이러한 노력의 효과에 대한 통찰을 얻을 수 있습니다. 이는 기술 개발, 교수 방법 변화 및 추가 지원이 필요한 영역에서의 패턴을 밝혀낼 수 있습니다.

**자금 조달 및 예산 패턴 분석:** 예산 배정, 지출 패턴 또는 자금 조달 출처와 같은 재정 데이터 분석을 통해 교육 기관 내 자원 관리에 대한 추세를 식별할 수 있습니다. 이러한 패턴을 이해함으로써 예산 계획, 자원 배분 및 비용 효율적인 전략에 관한 의사 결정 과정을 안내할 수 있습니다.

**글로벌 비교:** 다양한 국가나 지역의 교육 데이터를 비교 분석함으로써 교육 시스템, 교육 정책 및 그 결과에 대한 반복되는 경향과 패턴을 밝혀낼 수 있습니다. 이는 교육 성과에 기여하는 요소와 개선이 필요한 영역을 밝혀내어 국가 간 학습 및 벤치마킹 노력을 지원할 수 있습니다.

**장기 연구:** 교육 데이터를 장기간에 걸쳐 분석하고 시간이 지남에 따라 연구를 수행함으로써 학생 경로, 교육 개입 또는 정책 영향에 대한 장기적인 패턴과 추세를 밝혀낼 수 있습니다. 이는 근거 기반 의사 결정 및 장기적 초점을 가진 교육 노력 평가에 기여할 수 있습니다.

**사회경제적 격차:** 교육 데이터 분석을 통해 교육 결과와 관련된 사회경제적 격차의 패턴과 추세를 밝혀낼 수 있습니다. 소득 수준, 부모 교육, 자원 접근성과 같은 요소를 분석함으로써 성과 격차를 밝혀내고 교육 평등을 향상시키기 위한 대상 중심의 개입을 안내할 수 있습니다.

**교사 성과 분석:** 학생 평가, 교실 관찰 또는 학생 성취도 향상과 같은 교사 성과 데이터 분석을 통해 성공적인 교수 기법의 패턴을 식별할 수 있습니다. 이 정보는 전문 개발 노력을 안내하고 채용 및 유지 전략을 형성하는 데 사용될 수 있습니다.

**학교 안전 및 불만 분석:** 징계 사건, 괴롭힘 보고서 또는 학교 기후 설문조사 데이터 분석을 통해 학교 안전 및 불만과 관련된 패턴과 추세를 밝혀낼 수 있습니다. 이는 우려 사항을 식별하고 긍정적인 학습 환경을 조성하기 위한 개입을 안내하는 데 도움이 될 수 있습니다.

**개입의 영향:** 교육 시스템에 통합된 특정 개입 또는 프로그램의 효과를 평가하기 위해 교육 데이터의 분석을 사용할 수 있습니다. 개입 전후의 데이터를 비교함으로써 이러한 활동이 학생 결과에 미치는 영향에 대한 패턴과 추세를 밝혀낼 수 있습니다.

**조기 경보 시스템:** 학생 성과, 출석, 행동 또는 기타 요인과 관련된 데이터를 평가하여 학교 이탈 위험이 있는 학생들을 식별할 수 있는 조기 경보 시스템을 개발할 수 있습니다. 이 데이터의 패턴과 추세를 식별하는 것은 학생들이 이탈하지 않도록 대상 중심의 개입 및 지원 시스템을 구현하는 데 도움이 될 수 있습니다.

**졸업 후 진로:** 학생들의 졸업 후 경로, 예를 들어 대학 진학, 취업 또는 추가 학습에 대한 데이터 분석을 통해 교육과 직업 결과 간의 연계를 더 잘 이해할 수 있습니다. 졸업생 경로의 패턴을 식별함으로써 교육 과정 개발 및 직업 준비 프로그램을 안내할 수 있습니다.

**교육 기술 채택:** 교육 기술 도구 및 플랫폼의 채택 및 사용에 대한 데이터 분석을 통해 기술 통합 및 학생 참여 및 학습 결과에 미치는 영향에 대한 추세를 식별할 수 있습니다. 이는 기술 투자 및 교사의 전문 개발 기회에 대한 결정을 안내하는 데 도움이 될 수 있습니다.

**학부모-교사 소통 분석:** 학부모-교사 간 소통 채널, 예를 들어 이메일, 학부모-교사 회의 또는 디지털 플랫폼에 대한 데이터 분석을 통해 학부모-교사 접촉 빈도 및 효과에 대한 패턴을 식별할 수 있습니다. 이 정보는 협력을 개선하고 가정과 학교 간의 관계를 강화하는 데 도움이 될 수 있습니다.

**포괄적 교육 분석:** 장애가 있는 학생들 또는 특별한 필요를 가진 학생들을 포함하는 교육에 대한 데이터 분석을 통해 포괄적 교육 수혜자에 대한 패턴과 추세를 식별할 수 있습니다. 이는 입법, 자원 배분 및 전문 개발 활동을 포괄적 관행을 촉진하기 위해 안내하는 데 도움이 될 수 있습니다.

**교육 개혁 및 정책 평가:** 교육 데이터 분석을 통해 교육 개혁 및 정책의 평가를 지원할 수 있습니다. 특정 정책 변경 전후의 데이터를 비교함으로써 특정 정책 변경의 효과 또는 의도하지 않은 영향에 대한 패턴과 추세를 밝혀낼 수 있습니다.

**교사-학생 상호작용 분석:** 교사-학생 상호작용, 예를 들어 교실 관찰, 피드백 교환 또는 학생 참여율에 대한 데이터 분석을 통해 교수 방법 및 학생 참여 수준에 대한 반복되는 추세를 밝혀낼 수 있습니다. 이 정보를 사용하여 성공적인 교수 전략을 식별하고 개발 기회를 파악할 수 있습니다.

**학교 리더십 및 관리 분석:** 교장 평가, 관리 결정 또는 학교 기후 설문조사와 같은 학교 리더십 및 관리 관행에 대한 데이터 분석을 통해 성공적인 학교 리더십과 관련된 패턴과 추세를 밝혀낼 수 있습니다. 이는 리더십 개발 활동 및 학교 관리 개선 조치를 안내하는 데 도움이 될 수 있습니다.

**교육 자금 및 자원 할당 격차 분석:** 다양한 학교 또는 지구 간의 교육 자금 및 자원 할당에 대한 데이터 분석을 통해 자원 격차에 대한 패턴과 추세를 식별할 수 있습니다. 이는 교육 분야에서 공정한 자금 조달 및 자원 배분에 대한 정책 논의 및 옹호 활동을 안내하는 데 도움이 될 수 있습니다.

**시간 관리 및 업무량 분석:** 교사 업무량, 수업 시간 또는 수업 시간 할당에 대한 데이터 분석을 통해 교육에서의 시간 관리와 관련된 패턴과 추세를 식별할 수 있습니다. 이 정보는 수업 시간 및 업무 할당을 최적화하기 위한 노력을 안내하는 데 도움이 될 수 있습니다.

**학생 참여 및 동기 부여 분석:** 학생 참여, 동기 부여 또는 참여율에 대한 데이터 분석을 통해 학습 과정에서 학생 참여에 대한 패턴과 추세를 식별할 수 있습니다. 이 정보는 학생 참여를 증진하고 긍정적인 학습 환경을 조성하기 위한 조치를 안내하는 데 사용될 수 있습니다.

**학교 문화 및 기후 분석:** 학생 설문조사, 교사 의견 또는 징계 통계와 같은 학교 문화 및 기후에 대한 데이터 분석을 통해 학교의 전반적인 환경에 대한 패턴과 추세를 밝혀낼 수 있습니다. 이는 지지적이고 포괄적인 학교 문화를 발전시키기 위한 노력을 안내하는 데 도움이 될 수 있습니다.

**교사 협력 및 전문 학습 커뮤니티 분석:** 교사 협력, 공동 의사 결정 또는 전문 개발 활동에 대한 데이터 분석을 통해 교육자 간 협력 행동에 대한 패턴과 추세를 식별할 수 있습니다. 이는 협력, 지식 공유 및 교수 관행 개선을 촉진하기 위한 이니셔티브의 기반을 마련할 수 있습니다.

교육 결과 및 학교 자금 조달 수준 분석: 교육 결과와 학교 자금 조달 수준 간의 연관성에 대한 데이터 분석을 통해 학생 성취에 대한 재정 자원의 영향에 대한 패턴과 추세를 식별할 수 있습니다. 이는 교육 분야에서 공정한 자금 조달 및 자원 배분에 대한 정책 논의 및 옹호 활동을 안내하는 데 도움이 될 수 있습니다.

**교육에서 일터로의 전환 분석:** 직업 및 기술 교육, 직장 기반 학습 경험 또는 취업 배치율에 대한 데이터 분석을 통해 학교에서 일터로의 전환 과정에 대한 패턴과 추세를 식별할 수 있습니다. 이 정보는 경력 경로 구축 및 교육 프로그램을 노동 시장의 요구와 일치시키기 위한 노력을 안내하는 데 도움이 될 수 있습니다.

**교육 개입 및 프로그램 평가:** 교육 개입, 예를 들어 과외 프로그램, 교수 개입 또는 교육 정책에 대한 데이터 분석을 통해 학생 결과 개선에 대한 특정 개입의 효과를 평가할 수 있습니다. 이는 특정 개입의 영향에 대한 패턴과 추세를 식별하고 교육에서 근거 기반 의사 결정을 촉진하는 데 도움이 될 수 있습니다.

**학교 기후 및 학생 복지 분석:** 학교 기후 설문조사, 학생 복지 지표 또는 정신 건강 지원 서비스 사용에 대한 데이터 분석을 통해 학교 기후와 학생 복지와 관련된 패턴과 추세를 밝혀낼 수 있습니다. 이는 긍정적이고 포괄적인 학교 환경을 조성하고 학생들의 사회-정서적 발달을 촉진하기 위한 노력을 안내하는 데 도움이 될 수 있습니다.

**학습 진행 및 숙달 학습 분석:** 학습 진행, 역량 기반 평가 또는 숙달 학습 기법에 대한 데이터 분석을 통해 학생들이 특정 지식이나 기술을 숙달하는 과정에 대한 패턴과 추세를 식별할 수 있습니다. 이는 개별화된 교육 경험 및 대상 중심의 개입을 설계하고 구현하는 데 기여할 수 있습니다.

**교사 이직 및 유지 분석:** 교사 유지율, 이직 원인 또는 직무 만족도 설문조사에 대한 데이터 분석을 통해 교사 이직과 관련된 패턴과 추세를 식별할 수 있습니다. 이 정보는 교사 유지, 근무 조건 개선 및 교사 복지 증진을 목표로 하는 프로그램을 안내하는 데 사용될 수 있습니다.

**학부모 및 지역 사회 참여 분석:** 교육에서 학부모 및 지역 사회 참여, 예를 들어 자원봉사 시간, 학교 활동 참여 또는 지역 사회 서비스와의 상호작용에 대한 데이터 분석을 통해 참여 수준 및 그 영향에 대한 패턴과 추세를 식별할 수 있습니다. 이는 학교, 가정, 지역 사회 간의 건강한 관계를 육성하기 위한 노력을 안내하는 데 도움이 될 수 있습니다.

**형성 평가 절차 분석:** 학생들에게 제공된 피드백이나 자기 평가 추세와 같은 형성 평가 절차에 대한 데이터 분석을 통해 학습을 위한 평가에 대한 패턴과 추세를 밝혀낼 수 있습니다. 이는 효과적인 형성 평가 절차 채택과 학생 중심의 피드백 관행을 촉진하는 데 기여할 수 있습니다.

**학생 지속성 및 졸업 경로 분석:** 학생 지속성, 학점 축적 또는 졸업을 위한 대안적 경로에 대한 데이터 분석을 통해 졸업률과 대안적 교육 옵션에 대한 패턴과 추세를 식별할 수 있습니다. 이 정보는 학생들이 교육 목표를 달성할 수 있도록 지원하는 정책과 개입을 안내하는 데 사용될 수 있습니다.

**장기 교육 결과 분석:** 학생들의 교육 여정을 추적하는 종단적 데이터 분석을 통해 장기 교육 결과와 학교 교육이 삶의 결과에 미치는 영향에 대한 통찰을 얻을 수 있습니다. 이는 고등 교육이나 직업 준비에 초점을 맞춘 교육 정책과 프로그램을 안내하는 데 도움이 될 수 있습니다.

**학생 이동성 및 전학 분석:** 학생 이동성, 학교 또는 지구 간 전학 또는 등록 패턴에 대한 데이터 분석을 통해 학생 이동의 패턴과 학업 성취도 및 교육 경험에 미치는 영향을 식별할 수 있습니다. 이 정보는 전환하는 학생들을 지원하고 교육 중단을 최소화하기 위한 정책과 조치를 개발하는 데 사용될 수 있습니다.

**교사 협력 및 전문 학습 커뮤니티 분석**: 교사 협력, 전문 학습 커뮤니티 또는 다학제 팀 구성에 대한 데이터 분석을 통해 교육자 간 협력 활동에 대한 패턴과 추세를 식별할 수 있습니다. 이는 협력, 지식 공유 및 교수 관행 개선을 촉진하기 위한 이니셔티브의 기반을 마련할 수 있습니다.

**교육 결과 및 학교 자금 조달 수준 분석**: 교육 결과와 학교 자금 조달 수준 간의 연관성에 대한 데이터 분석을 통해 학생 성취에 대한 재정 자원의 영향에 대한 패턴과 추세를 식별할 수 있습니다. 이는 교육 분야에서 공정한 자금 조달 및 자원 배분에 대한 정책 논의 및 옹호 활동을 안내하는 데 도움이 될 수 있습니다.

**교육에서 일터로의 전환 분석**: 직업 및 기술 교육, 직장 기반 학습 경험 또는 취업 배치율에 대한 데이터 분석을 통해 학교에서 일터로의 전환 과정에 대한 패턴과 추세를 식별할 수 있습니다. 이 정보는 경력 경로 구축 및 교육 프로그램을 노

동 시장의 요구와 일치시키기 위한 노력을 안내하는 데 도움
이 될 수 있습니다.

**교육 개입 및 프로그램 평가:** 교육 개입, 예를 들어 과외 프
로그램, 교수 개입 또는 교육 정책에 대한 데이터 분석을 통
해 학생 결과 개선에 대한 특정 개입의 효과를 평가할 수 있
습니다. 이는 특정 개입의 영향에 대한 패턴과 추세를 식별하
고 교육에서 근거 기반 의사 결정을 촉진하는 데 도움이 될
수 있습니다.

**학교 만족 및 학생 복지 분석:** 학교 만족 설문조사, 학생 복
지 지표 또는 정신 건강 지원 서비스 사용에 대한 데이터 분
석을 통해 학교 만족도와 학생 복지와 관련된 패턴과 추세를
밝혀낼 수 있습니다. 이는 긍정적이고 포괄적인 학교 환경을
조성하고 학생들의 사회-정서적 발달을 촉진하기 위한 노력
을 안내하는 데 도움이 될 수 있습니다.

**학습 진행 및 숙달 학습 분석:** 학습 진행, 역량 기반 평가 또는 숙달 학습 기법에 대한 데이터 분석을 통해 학생들이 특정 지식이나 기술을 숙달하는 과정에 대한 패턴과 추세를 식별할 수 있습니다. 이는 개별화된 교육 경험 및 대상 중심의 개입을 설계하고 구현하는 데 기여할 수 있습니다.

**교사 준비 프로그램 분석:** 교사 준비 프로그램, 자격증 시험 결과 또는 지원 프로그램에 대한 데이터 분석을 통해 교사 효과성과 교사 준비가 학생 결과에 미치는 영향에 대한 패턴과 추세를 파악할 수 있습니다. 이러한 통찰은 교수 방법을 개선하고 학생 성공을 증진하는 데 사용될 수 있습니다. 교사 준비 프로그램을 강화하고 교사 성장을 촉진하기 위한 노력에 유용한 자원으로 활용될 수 있습니다.

**STEM 분야 학생 참여 분석:** 과학(Science), 기술(Technology), 공학(Engineering), 수학(Mathematics)과 같은 STEM 분야에 대한 학생 참여 데이터 분석은 학생들의 관심, 참여 및 성취도에 대한 패턴과 추세를 보여줄 수 있습니다. 이는 혁신을 촉진하고,

성별 또는 인종 불평등을 해소하며, STEM 분야의 교육 및 직업을 촉진하는 노력에 영향을 줄 수 있습니다.

**데이터 기반 의사결정:** 교육 데이터가 개인, 교실, 학교 또는 지구 수준에서 의사결정 과정에 어떻게 사용되는지에 대한 연구 및 데이터 분석은 데이터 리터러시와 교육 관행에 데이터를 통합하는 추세에 대한 패턴을 보여줄 수 있습니다. 이는 교육 분야에서 데이터 기반 의사결정을 장려하는 전문 개발 노력과 계획에 영향을 줄 수 있습니다.

**기술 및 인터넷 접근성 분석:** 학생 및 학교의 기술 및 인터넷 접근성에 대한 데이터 분석은 디지털 격차, 즉 디지털 자원에 대한 접근 격차에 대한 패턴과 추세를 보여줄 수 있습니다. 이는 기술 접근성 불평등을 극복하고 모든 이에게 디지털 학습 기회를 평등하게 제공하기 위한 노력에 유용한 정보를 제공할 수 있습니다.

**학급 크기 및 교사-학생 비율 분석:** 학급 크기와 교사-학생 비율에 대한 데이터 분석은 학생-교사 상호작용 및 교수 방법의 효과에 대한 패턴과 추세를 제공할 수 있습니다. 이는 학급 크기를 줄이고 교사 배치에 관한 조치를 결정하는 데 유용한 정보를 제공할 수 있습니다.

**징계 조치 분석:** 징계 조치, 정학 또는 퇴학에 대한 데이터 분석은 학교 징계 절차에 대한 패턴과 추세를 나타낼 수 있습니다. 복원적 절차 및 학교 징계에 대한 데이터 분석은 처벌적 성격의 대안적 징계 조치에 대한 복원적 정의 기법과 대안적 징계 조치의 배치를 안내하는 데 도움이 될 수 있습니다.

**언어 숙련도 및 학업 성취도 분석:** 영어 학습자(ELL)의 언어 숙련도 수준, 언어 지원 서비스 또는 학업 성취도에 대한 데이터 분석은 언어 습득 및 영어 학습자 학생들의 교육 결과에 대한 패턴과 추세를 제공할 수 있습니다. 이 정보는 교수 기법 및 지원 시스템을 안내하는 데 도움이 될 수 있습니다.

**인구 통계별 교육 결과 분석:** 인종, 민족, 성별 또는 사회경제적 지위와 같은 인구 통계적 특성에 따라 분류된 교육 결과 데이터 분석을 통해 성취 격차와 불평등에 대한 패턴과 추세를 밝혀낼 수 있습니다. 이는 교육 불평등을 완화하고 모든 아동에게 공정한 결과를 촉진하기 위한 대상 중심의 개입 개발에 유용한 정보를 제공할 수 있습니다.

**교사 준비 및 전문 개발 분석:** 교사 준비 프로그램 참여, 전문 개발 참여 또는 교사 설문조사에 대한 데이터 분석은 교육자의 전문 개발 요구에 대한 패턴과 추세를 제공할 수 있습니다. 이 정보는 효과적인 전문 학습 기회의 설계 및 실행에 기여할 수 있습니다.

**학업 중단 회복 및 재참여:** 학업 중단 회복 프로그램, 재참여 이니셔티브 또는 대안 교육 옵션에 대한 데이터 분석을 통해 학교를 중단한 학생들을 효과적으로 재통합하는 패턴과 추세를 식별할 수 있습니다. 이는 학업 중단 방지 및 복귀 활동을 촉진하는 방법을 안내하는 데 유용한 통찰을 제공할 수 있습니다.

**데이터 개인 정보 보호 및 보안:** 데이터 개인 정보 보호 규정, 보안 침해 또는 학생 데이터 보호 조치에 대한 데이터 분석은 교육 환경에서 데이터 개인 정보 보호 및 보안과 관련된 패턴과 추세를 제공할 수 있습니다. 이는 효과적인 데이터 거버넌스 절차의 설계 및 실행에 기여할 수 있습니다.

**교사 리더십 및 경력 발전 분석:** 교사 리더십 직책, 경력 발전 기회 또는 멘토링 프로그램에 대한 데이터 분석은 교사 리더십 및 경력 경로의 성상에 대한 패턴과 추세를 나타낼 수 있습니다. 이는 교사 리더십 및 유지를 촉진하기 위한 방법 개발에 유용한 통찰을 제공할 수 있습니다.

**대학 진학 및 대학 준비도:** 대학 진학률, 대학 준비 지표 또는 대학 지원 제출 추세에 대한 데이터 분석은 학생들의 고등 교육 준비도에 대한 패턴과 추세를 제공할 수 있습니다.

이는 대학 준비 개선 및 고등 교육 접근 확대를 위한 활동을 안내하는 데 사용될 수 있습니다.

## 4.2 예측 모델링을 위한 특성 공학 및 선택

예측 모델을 개발하는 과정에는 여러 중요한 과정이 포함되며, 이 중 특성 공학 및 선택이 있습니다. 이 과정에서 원시 데이터는 의미 있는 특성으로 변환되며, 모델의 성능을 향상시키기 위해 가장 관련성 높은 특성이 선택됩니다. 다음은 특성 공학 및 선택을 위한 접근 방법 개요입니다.

### 4.2.1 특성 공학

● **결측치 대체(Imputation)**: 데이터 세트에서 결측값을 적절한 값(예: 평균, 중앙값 또는 예측 모델)으로 대체하는 과정입니다.

● **범주형 변수 인코딩(Encoding Categorical Variables)**:

범주형 변수를 모델링에 적합한 수치적 표현으로 변환하는 과정입니다. 원-핫 인코딩(One-hot Encoding), 라벨 인코딩(Label Encoding), 또는 타겟 인코딩(Target Encoding)이 이 목적을 달성하기 위한 옵션입니다.

● **스케일링 및 정규화(Scaling and Normalization)**: 다양한 수치적 특성을 유사한 범위로 가져와 특정 특성이 다른 특성보다 우세해지는 것을 방지하는 과정입니다. 표준화(Standardization)는 평균을 0, 표준편차를 1로 설정하는 일반적인 방법이며, 정규화(Normalization)는 데이터를 [0, 1]과 같은 범위로 스케일링하는 것을 포함합니다.

● **특성 추출(Feature Extraction)**: 기존 특성에서 새로운 특성을 생성하여 더 많은 정보를 수집하는 과정입니다. 다항 특성(Polynomial Features), 상호작용 항(Interaction Terms), 수치 변수에서의 통계적 특성(예: 평균, 중앙값, 표준편차) 추출과 같은 방법이 이 과정에 사용될 수 있습니다.

시계열 특성(Time-Series Features): 시계열 데이터에서 시간적 패턴을 포착하는 특성을 생성하는 것을 포함합니다. 예를 들어, 지연 값(Lagging Values), 롤링 통계(Rolling Statistics), 추세 지표(Trend Indicators) 등이 있습니다.

- **도메인 특정 특성 공학(Domain-Specific Feature Engineering)**: 특정 문제에 관련된 특성을 제공하기 위해 도메인 지식을 활용하는 것을 포함합니다. 이는 비율 생성, 데이터 축적, 변수 변환 등을 포함할 수 있으며, 추구하는 특정 통찰에 따라 다를 수 있습니다.

## 4.2.2 특성 선택(Feature Selection)

- **단변량 선택(Univariate Selection)**: 단변량 통계 검정을 사용하여 각 특성과 목표 변수 사이의 관계를 평가하고 가장 관련성 높은 특성을 선택하는 방법입니다. 이 방법은 간단하며 계산 비용이 낮습니다.

- **모델 기반 선택(Model-Based Selection)**: 예측 모델(예: 결정 트리, 랜덤 포레스트)을 사용하여 특성의 중요도를 평가하고 가장 유용한 특성을 선택하는 방법입니다. 이 접근 방식은 모델의 성능을 기반으로 특성을 선택합니다.

- **반복적 특성 제거(Iterative Feature Elimination)**: 모델의 성능에 가장 적게 기여하는 특성부터 순차적으로 제거하는 방법입니다. 이 과정은 최적의 특성 집합을 찾을 때까지 반복됩니다.

- **상관 관계 기반 선택(Correlation-Based Selection)**: 특성 간의 상관 관계를 분석하여 서로 높은 상관 관계를 가지는 특성 중 하나를 제거하는 방법입니다. 이는 다중 공선성 문제를 줄이는 데 도움이 됩니다.

- **주성분 분석(PCA) 및 기타 차원 축소 기법**: 데이터의 차원을 축소하여 가장 중요한 정보를 유지하는 동시에 특성의 수를 줄이는 방법입니다. PCA는 데이터의 변동성을

가장 잘 설명하는 주성분을 찾아 특성을 변환합니다.

이러한 특성 공학 및 선택 방법은 예측 모델의 성능을 최적화하고 과적합을 방지하는 데 중요한 역할을 합니다. 적절한 특성을 선택하고 변환함으로써 모델이 학습 데이터에서 중요한 패턴을 더 잘 학습하고 새로운 데이터에 대해 더 정확한 예측을 할 수 있게 됩니다.

예측 모델링 과정에서 특성 공학 및 선택은 데이터의 복잡성을 관리하고 모델의 해석 가능성을 향상시키는 데 필수적입니다. 이 과정을 통해 연구자와 실무자는 교육 데이터에서 유의미한 인사이트를 추출하고 교육 정책 및 실습에 적용할 수 있는 실용적인 모델을 개발할 수 있습니다.

## 4.2.2 특성 선택(Feature Selection)

- **필터 방법(Filter Methods):** 예측 모델과 독립적으로 각 특성과 목표 변수 사이의 연결을 분석하는 통계 기술입니다. 즉, 이 방법들은 관련 없는 특성을 필터링합니다. 상관 분석, 상호 정보 검정, 카이제곱 검정 등이 일반적인 절차의 예입니다. 선택된 특성을 결정하기 위해 사전에 정해진 기준을 사용합니다.

- **래퍼 방법(Wrapper Methods):** 다양한 특성의 부분 집합으로 여러 모델을 훈련시키고 그 성능을 평가하여 최적의 특성 집합을 결정하는 방법입니다. 순차적 선택, 역방향 제거, 재귀적 특성 제거(RFE) 등이 이 방법의 예입니다.

- **임베디드 방법(Embedded Methods):** 모델 훈련 과정의 일부로 자동으로 관련 특성을 식별하는 알고리즘입니다. 예를 들어, 선형 회귀 모델에서 Lasso나 Elastic Net 정규화는 특정 특성 계수를 0으로 만듦으로써 효과적으로

특성을 선택할 수 있습니다.

- **차원 축소(Dimensionality Reduction)**: 주성분 분석 (PCA)과 특이값 분해(SVD)와 같은 기술은 특성 공간의 차원을 줄이면서도 그 안에 담긴 정보의 무결성을 유지하는 데 사용될 수 있습니다.

- **특성 중요도(Feature Importance)**: 모델에 의해 주어진 점수나 계수를 분석함으로써 각 특성의 중요성을 측정할 수 있습니다. 이러한 점수와 계수는 특성 중요도로 참조됩니다. 이 정보를 활용하여 가장 큰 영향을 미치는 특성에 집중할 수 있습니다.

- **도메인 전문가와의 협업(Domain Expertise)**: 특성 공학에 있어 도메인 전문가와의 협업은 매우 유용한 통찰력을 제공할 수 있습니다. 그들은 중요한 특성을 식별하고, 특성 공학을 검증하며, 모델 성능을 향상시킬 수 있는 도메인 특정 변경을 권장할 수 있습니다.

- **특성에 대한 반복(Iteration on Features)**: 새로운 특성을 개발하고 선택하는 과정에서 여러 번의 반복이 종종 필요합니다. 이 반복적인 방법을 사용함으로써, 특성을 추가하거나 제거하는 것의 영향을 평가하며 모델 성능의 향상을 모니터링할 수 있습니다.

- **특성 드리프트(Monitoring Feature Drift)**: 특성의 통계적 특성이나 중요도가 시간에 따라 변할 수 있습니다. 모델의 유용성과 관련성을 시간이 지남에 따라 유지하기 위해, 특성의 기능을 정기적으로 확인하고 그 순서를 재고하는 것이 중요합니다.

- **데이터 및 데이터 시각화 탐색(Data Exploration and Visualization)**: 데이터를 그래픽적으로 탐색하고 특성과 목표 변수 사이의 상관관계를 이해하는 것은 특성 공학에 있어 의사 결정에 영향을 줄 수 있습니다. 산점도, 히스토그램, 상자 그림과 같은 시각화를 사용하여 데이터의 분

포, 패턴 및 가능한 관계에 대한 더 나은 이해를 얻을 수 있습니다.

- **자동 특성 공학**(Automated Feature Engineering): 대규모 데이터 세트나 복잡한 문제의 경우, 진화 알고리즘, 자동 모델 기반 특성 선택 또는 Feature tools와 같은 라이브러리를 사용하여 자동으로 관련 특성을 찾고 구축할 수 있습니다.

## 4.3 예측 모델 평가 및 검증

예측 모델을 개발하고 배포하는 과정에서 다음 단계로 넘어가기 전에 모델을 평가하고 검증하는 것이 필수적입니다. 이는 모델의 성능과 결과의 신뢰성을 평가하여 모델의 유용성과 잠재적 응용 가능성에 대한 교육적 판단을 가능하게 합니다. 다음은 예측 모델을 분석하고 검증하기 위해 사용되는 일반적인 방법과 지표 목록입니다.

**데이터 분할:** 데이터를 훈련 세트, 검증 세트, 테스트 세트로 최소 두 개 이상의 다른 세트로 나누는 것이 첫 단계입니다. 훈련 세트는 모델 훈련에, 검증 세트는 모델의 여러 버전을 평가하고 모델의 매개변수를 미세 조정하는 데 사용되며, 테스트 세트는 모델의 최종 평가를 수행하는 데 사용됩니다.

**교차 검증:** 모델이 데이터의 다양한 하위 집합에서 얼마나 잘 수행되는지 평가하는 방법입니다. 데이터를 여러 폴드로 나누고, 일부 폴드에서 모델을 훈련시킨 다음 남은 마지막 폴드에서 평가합니다. 이 과정을 여러 번 반복하고 다양한 성능 지표의 결과를 평균내어 모델의 성능을 더 정확하게 추정합니다.

**성능 지표:** 문제의 성격에 따라 예측 모델을 평가하기 위해 다양한 지표가 사용됩니다. 정확도(accuracy), 정밀도(precision), 재현율(recall), F1 점수, ROC 곡선 아래 면적(AUC-ROC), 평균 제곱 오차(MSE), 평균 절대 오차(MAE), 결정 계수(R-squared) 등이 일반적인 지표입니다.

**혼동 행렬(Confusion Matrix):** 분류 모델의 성능을 설명하는 표입니다. 올바른 양성 예측, 올바른 음성 예측, 잘못된 양성 예측, 잘못된 음성 예측의 수를 보여줍니다. 혼동 행렬에서 정확도, 정밀도, 재현율, F1 점수 등 여러 지표를 추출할 수 있습니다.

**과적합 및 과소적합 분석:** 모델 결과를 평가할 때 과적합과 과소적합을 확인하는 것이 중요합니다. 과적합은 모델이 훈련 데이터에서는 잘 수행하지만 보이지 않는 데이터에서는 성능이 떨어지는 경우 발생합니다. 반면, 과소적합은 모델이 데이터의 복잡성에 비해 너무 단순할 때 발생합니다. 정규화와 모델의 복잡성 조정과 같은 기법을 사용하여 이러한 문제를 해결할 수 있습니다.

**비교 성능 분석:** 여러 모델의 성능을 평가하여 가장 잘 수행하는 모델을 찾는 것이 종종 필요합니다. 이 과정에는 여러 알고리즘, 특성 세트, 하이퍼파라미터 설정을 비교하는 것이 포함

될 수 있습니다. 교차 검증과 홀드아웃 검증과 같은 방법을 사용하여 가장 적합한 모델을 평가하고 선택할 수 있습니다.

**도메인별 평가 지표:** 특정 도메인에 필요한 평가 지표가 필요한 경우가 있습니다. 예를 들어, 의료 분야에서는 진단 모델의 경우 민감도, 특이도, 양성 예측 값(PPV) 등이 중요할 수 있으며, 금융 분야에서는 이익 곡선이나 정보 이득과 같은 지표가 더 관련이 있을 수 있습니다.

**특성 중요도 분석:** 모델의 다양한 특성의 상대적 중요성을 조사하는 것입니다. 특성 중요도 점수 및 순열 중요도와 같은 방법을 사용하여 가장 중요한 특성이 무엇인지 결정할 수 있습니다. 이 연구는 모델을 검증하고 특성 선택이나 엔지니어링 노력을 안내하는 데 도움이 될 수 있습니다.

**강건성 및 일반화:** 모델이 보이지 않는 데이터에 대해 얼마나 잘 일반화되는지, 데이터 변동에 대해 얼마나 저항력이 있는지 평가하는 것이 매우 중요합니다. 교차 검증, 부트스트래

핑, 계층화된 표본 추출과 같은 방법을 사용하여 데이터의 다양한 하위 집합이나 분할에서 모델의 성능을 평가하는 데 도움이 될 수 있습니다. 이 연구를 통해 모델이 데이터의 특정 하위 집합에 대해 편향되지 않고 과민 반응을 보이지 않는지 확인할 수 있습니다.

**클래스 불균형 처리:** 데이터가 불균형한 경우, 즉 한 클래스가 다른 클래스보다 훨씬 더 빈번한 경우, 정확도와 같은 전통적인 성능 지표는 오해의 소지가 있을 수 있습니다. 이러한 상황에서는 정확도, 재현율, F1 점수와 같은 지표가 더 적합합니다. 모델 훈련 및 평가 과정에서 오버샘플링, 언더샘플링 또는 클래스 가중치 사용과 같은 클래스 불균형 문제를 해결하는 방법이 도움이 될 수 있습니다.

**모델 해석 및 설명 가능성:** 응용 프로그램에 따라 모델이 예측을 생성하는 과정을 잘 이해하는 것이 필요할 수 있습니다. 특성 중요도, 부분 의존성 플롯, SHAP(SHapley Additive exPlanations) 값과 같은 해석 가능성 기법은 모델의 내부 작동에 대한 통찰력을 제공할 수 있습니다. 이는 윤리적, 법적 또는 규제 문제가 있는 분야에서 특히 신뢰와 투명성을 구축하는 데 기여합니다.

**A/B 테스트 및 배포 검증:** 예측 모델을 생산에 투입하기 전에 A/B 테스트나 파일럿 연구를 수행하여 실제 환경에서 모델의 성능을 평가하는 것이 좋습니다. 이는 모델의 성능을 현재 시스템이나 다른 방법과 비교하여 실제 설정에서의 유용성과 영향을 평가하기 위한 것입니다.

**모델 유지 및 모니터링:** 모델이 구현된 후에는 모델의 성능을 정기직으로 모니터링하고 주기적으로 재평가하는 것이 중요합니다. 이는 모델이 시간이 지남에 따라 계속해서 유용하고 정확하게 유지되도록 보장합니다. 성능 지표를 추적하고, 개념 변화를 식별하며, 필요에 따라 데이터 패턴의 변화에 맞춰 모델을 조정하는 것은 모니터링 활동의 예입니다.

**편향 및 공정성 분석:** 예측 모델이 불공정하거나 차별적인 결과를 초래할 수 있는 편향을 가지고 있는지 평가하는 것이 중요합니다. 이는 다양한 인구 통계적 그룹이나 보호된 클래스에 대해 다른 영향을 미칠 가능성을 조사하는 것을 포함합니다. 공정성 지표, 차별적 영향 분석, 평등한 기회 및 인구 통계적 평등과 같은 방법을 사용하여 모델 예측에서 편향을 정량화하고 줄일 수 있습니다.

**모델의 적대적 공격에 대한 견고성:** 일부 산업, 예를 들어 사이버 보안 및 금융에서는 모델이 어려운 조건에서 얼마나 잘 작동하는지 평가하는 것이 필수적입니다. 적대적 공격은 모델을 속이거나 오도하기 위해 입력 데이터를 고의로 조작하는 경우입니다. 견고성 분석, 적대적 테스트 또는 적대적 훈련과 같은 방법을 사용하여 이러한 공격에 대한 모델의 저항력을 평가할 수 있습니다.

**확장성 및 성능:** 대규모 데이터셋이나 실시간 응용 프로그램을 다룰 때 예측 모델의 확장성과 컴퓨팅 효율성은 중요한 고려 사항입니다. 모델을 훈련하는 데 걸리는 시간, 예측을

생성하는 데 걸리는 시간 및 리소스 사용량 측면에서 모델의 성능을 평가하는 것이 중요합니다. 이는 모델이 적절한 작업 부하를 관리하고 요구되는 성능 기준을 충족할 수 있도록 보장합니다.

**이해 관계자 참여 및 피드백:** 검토 과정에 도메인 전문가, 이해 관계자 또는 최종 사용자를 참여시키면 그들의 독특한 관점에서 유용한 통찰력과 의견을 얻을 수 있습니다. 그들은 관련 평가 지표를 결정하는 데 도움을 줄 수 있으며, 모델의 출력을 검증하고 모델의 유용성 및 응용에 대한 피드백을 제공할 수 있습니다. 관련 이해 관계자와의 협력은 문제에 대한 더 깊은 이해를 촉진하고 모델의 성능을 의도된 목표와 일치시키는 데 도움이 될 수 있습니다.

**보고 및 문서화:** 검증 및 평가 과정 전반에 걸쳐 상세한 문서화를 유지하는 것이 매우 중요합니다. 데이터 전처리, 모델 선택, 하이퍼파라미터 조정, 평가 지표 및 결과에 관련된 절차를 문서화하는 것이 포함됩니다. 평가 과정을 명확하고 완

전하게 보고하는 것은 투명성과 재현성을 보장하며, 팀 멤버나 더 넓은 커뮤니티와 지식을 공유하기 쉽게 만듭니다.

**외부 검증 및 벤치마크와의 비교:** 모델을 외부 벤치마크나 업계 표준과 비교하여 평가하는 것이 유용한 경우가 있습니다. 경쟁에 참여하거나 알려진 벤치마크 데이터셋 및 모델을 참조함으로써 기준점을 얻고 모델의 성능을 현재의 최첨단 방법과 비교할 수 있습니다.

**이상치 및 결측 데이터에 대한 견고성:** 이상치와 결측 데이터는 예측 모델의 성능에 큰 영향을 미칠 수 있습니다. 훈련 단계와 추론 단계 모두에서 모델이 이상치와 결측 변수를 얼마나 잘 처리하는지 분석하는 것이 중요합니다. 결측치 대체, 이상치 탐지 및 견고한 모델 설계와 같은 기법을 사용하여 이러한 문제를 극복할 수 있습니다.

**모델 해석 가능성 트레이드오프:** 모델 해석 가능성은 다양한 응용 프로그램에서 중요하지만, 더 복잡한 모델이 해석 가능성을 희생하면서 더 나은 예측 성능을 제공할 수 있는 경우가 있습니다. 특정 상황의 요구에 따라 모델의 복잡성과 해석 가능성 사이의 균형을 찾는 것이 중요합니다. 해석 가능한 모델과 블랙박스 모델 사이의 장단점을 잘 이해하는 것이 필수적입니다.

**비용 분석 및 비즈니스에 미치는 영향:** 성능 지표 외에도 예측 모델 도입의 비용과 비즈니스에 미치는 영향을 평가하는 것이 중요합니다. 이는 구현 비용, 계산 자원 요구 사항, 잠재적 금전적 보상 또는 운영 효율성에 미치는 영향 등을 포함합니다. 투자 수익(ROI) 계산 및 비용-편익 분석을 수행함으로써 모델 배포에 대한 보다 정보에 기반한 결정을 내릴 수 있습니다.

**다양한 데이터 소스에 대한 검증:** 모델이 다양한 출처나 분포에서 오는 데이터에서 사용될 것으로 예상되는 경우, 다양한 데이터셋에서 모델의 성능을 평가하는 것이 중요합니다. 이는 모델의 성능이 특정 데이터 소스에 제한되지 않고 다양한 상황에서 견고함을 유지함을 보장합니다.

**모델 버전 관리 및 추적:** 예측 모델을 다룰 때 적절한 모델 버전 관리 및 추적 절차를 설정하는 것이 필수적입니다. 이를 통해 모델 수정 사항을 추적하고, 다양한 버전의 결과를 비교하며, 이전 작업을 복제할 수 있습니다. 또한 모델 유지 관리, 문제 해결 및 필요한 경우 롤백을 용이하게 합니다.

**윤리적 고려 사항:** 예측 모델은 특히 사람들이나 그룹에 영향을 미칠 때 윤리적 함의를 가질 수 있습니다. 모델의 예측이 윤리적 결과를 초래할 수 있는지 평가하고 개인 정보 보호, 공정성, 투명성 및 책임과 같은 측면을 고려하는 것이 중요합니다. 윤리적 영향 평가를 수행하고 윤리학자나 기타 도메인 전문가와 상담함으로써 잠재적 윤리적 문제를 식별하고 해결 방안을 개발할 수 있습니다.

**지속적인 개선 및 피드백 루프:** 모델이 구현된 후 사용자 피드백을 수집하고 실제 상황에서의 성능을 평가하기 위해 피드백 루프를 구축하는 것이 유익합니다. 이 피드백은 모델의 부족한 점, 해결해야 할 문제를 식별하고 시간이 지남에 따라 모델의 성능을 지속적으로 개선하는 데 사용될 수 있습니다.

평가 및 검증 과정은 일회성 이벤트가 아닌 지속적인 과정입니다. 지속적인 모니터링, 반복, 개선이 필요하여 예측 모델이 변화하는 환경에서 계속해서 정확하고 유용하게 유지될 수 있도록 보장합니다.

## 5.1 서론

교육 분야에서 클러스터링(clustering)과 분류(classification)와 같은 방법들은 유용한 도구가 될 수 있습니다. 이들은 교육자와 연구자들이 방대한 데이터의 양을 이해하고 학생 그룹 사이의 패턴과 경향을 식별하는 데 도움을 줄 수 있습니다. 다음은 교육 분야에서 클러스터링과 분류가 어떻게 활용될 수 있는지의 예입니다.

**학생 그룹화:** 클러스터링 방법은 학습 스타일, 학업 성취도 또는 사회경제적 배경과 같은 다양한 특성을 기반으로 학생들을 그룹화하는 데 사용될 수 있습니다. 이러한 방식으로 학생들을 분류함으로써 교사들은 다양한 학생 하위 그룹의 특별한 요구에 맞춰 수업을 조정할 수 있습니다.

**개인화된 학습:** 분류 알고리즘을 사용하여 학생들에게 개별화된 학습 계획을 제공할 수 있습니다. 알고리즘은 이전 학업 성적, 학습 선호도 및 취미와 같은 학생 데이터를 분석하여 개별 학생에게 적합한 학습 자료와 활동을 제공할 수 있습니다.

**학업 성공 예측:** 분류 알고리즘은 학생들의 이전 성적, 출석 기록, 학습 습관 및 인구 통계 정보와 같은 다양한 입력 데이터를 기반으로 학생들의 학업 성공을 예측하는 데 사용될 수 있습니다. 교육자들은 이 정보를 사용하여 추가 지원이나 도전이 필요한 학생들을 식별할 수 있습니다.

**추천 시스템:** 클러스터링 방법은 학생들 사이의 유사성을 찾아 관련 학습 자료를 추천하는 데 사용될 수 있습니다. 예를 들어, 클러스터링 알고리즘이 과학에 관심이 있는 학생 그룹을 식별하면 관련 도서, 웹사이트 또는 상호작용 도구를 제공하여 학습 경험을 향상시킬 수 있습니다.

**수업 배치:** 분류 알고리즘은 학생들의 능력과 적성에 따라 적절한 수업 배치를 결정하는 데 도움을 줄 수 있습니다. 알고리즘은 역사적 성적 데이터와 시험 결과를 분석하여 학생들을 적합한 학문적 트랙에 배치하거나 고급 교육을 받을 수 있는 학생들을 식별할 수 있습니다.

**적응형 학습 시스템:** 클러스터링과 분류와 같은 기술은 적응형 학습 시스템의 개발에 사용될 수 있습니다. 이러한 기술은 학생의 성과 데이터를 평가하고 수업의 내용과 제시 속도를 개별 학생의 특정 요구에 맞게 조정하여 가능한 가장 유익한 학습 경험을 제공할 수 있습니다. 이는 학생들을 그들의 현재 지식 수준과 개인적 선호에 따라 그룹화함으로써 달성됩니다.

**학습 도전의 조기 발견:** 클러스터링과 분류 알고리즘은 학습 도전이나 발달 지연의 위험이 있는 어린이들을 조기에 발견하는 데 도움을 줄 수 있습니다. 교육자들은 학생의 학업 성과, 행동 및 기타 관련 지표에 대한 데이터 분석을 통해 학생의 학습에 잠재적인 문제를 식별할 수 있습니다. 이 정보를 바탕으로, 적시에 개입하거나 학생을 추가 평가를 위해 보낼 수 있습니다.

**적절한 학문 및 직업 경로 선택:** 분류 알고리즘은 학생들이 적절한 학문 및 직업 경로를 선택하는 데 도움을 줄 수 있으며, 그 경로에 대한 추천도 제공할 수 있습니다. 알고리즘은 학생들의 관심사, 능력 및 이전 성과를 포함한 학생 데이터를 평가하여 학생들의 재능과 목표에 더 잘 맞는 관련 학위, 과정 또는 직업 기회를 제공할 수 있습니다.

**학습 패턴 식별:** 클러스터링 알고리즘은 학생들 사이의 기본적인 학습 패턴을 밝혀낼 수 있습니다. 교육자들은 학생들을 그들의 진행 상황, 문제 해결 접근 방식 또는 학습 습관에 따라 그룹화함으로써 성공적인 교수 전략에 대한 통찰력을 얻고 다양한 학습 패턴에 더 잘 맞는 교수 방법을 조정할 수 있습니다.

**교육 정책 및 계획에 대한 입력:** 클러스터링과 분류는 학생 인구 통계, 성취도 및 자원 할당과 관련된 데이터를 분석함으로써 불평등을 발견하고 소외된 커뮤니티에 자원을 집중시키며 교육 성과를 향상시키기 위한 근거 기반 정책을 채택하는 데 도움을 줄 수 있습니다.

**사회 및 정서적 데이터 분석:** 클러스터링과 분류 방법은 사회 및 정서적 학습(Social and Emotional Learning, SEL) 커리큘럼의 일부로 학생들의 사회적 및 정서적 데이터 분석에 사용될 수 있습니다. 교육자들은 개인의 사회적 및 정서적 특성에 따라 분류함으로써 학생들의 사회 기술, 정서적 안녕 및 전반적인 발달을 향상시키기 위한 맞춤형 프로그램과 개입을 구축할 수 있습니다.

**교육 기관의 예측 분석:** 교육 기관은 예측 분석을 위해 분류 알고리즘을 사용할 수 있습니다. 기관은 학생 등록 패턴, 학생 성과 및 인구 통계 정보를 포함한 역사적 데이터 분석을 통해 미래 추세, 학생 수요 및 자원 할당 요구에 대한 예측을 생성할 수 있습니다.

**영재 및 유능한 개인 식별:** 클러스터링 및 분류 알고리즘은 다양한 전문 분야에서 뛰어난 능력이나 잠재력을 가진 영재 및 유능한 개인을 식별하는 데 도움을 줄 수 있습니다. 알고리즘은 학업 성과, 창의력 및 비판적 사고 능력과 같은 데이터를 검토하여 고급 또는 전문 교육 프로그램에서 혜택을 받을 수 있는 학생들을 식별할 수 있습니다.

**교육 데이터 마이닝:** 교육 데이터 마이닝에서 클러스터링 및 분류 방법은 방대한 교육 데이터 세트에서 유용한 통찰력과 패턴을 추출하는 데 사용될 수 있습니다. 교육자와 연구자는 학생 평가, 출석 기록 및 인구 통계 정보를 포함한 다양한 출처에서 얻은 정보에 대한 데이터 분석을 통해 학생 진행 및 성공에 영향을 미치는 요소에 대한 더 나은 이해를 얻을 수 있습니다.

**적응형 평가:** 적응형 평가 시스템에서 분류 알고리즘은 학생의 답변에 따라 시험의 난이도와 내용을 동적으로 조정할 수 있습니다. 적응형 평가 시스템은 학생들을 다양한 역량 수준 또는 지식 영역으로 그룹화함으로써 학생 학습 진행 상황에 대한 보다 정확하고 개인화된 피드백을 제공할 수 있습니다.

**교육 기관의 학생 유지 및 성공 기여 요인 결정:** 클러스터링 및 분류 방법은 학생 참여, 학업 성과 및 지원 서비스 이용 데이터를 평가함으로써 학생 유지 또는 이탈의 추세와 신호를 발견할 수 있습니다. 이 정보는 학생 성취를 개선하기 위해 제공되는 개입 및 지원 서비스를 안내할 수 있습니다.

**적응형 채점 및 피드백:** 분류 알고리즘은 적응형 채점 및 피드백 시스템을 제공하는 데 도움이 될 수 있습니다. 알고리즘은 학생의 작업과 성과를 사전에 정해진 기준이나 루브릭에 따라 자동으로 분류하고 학생들에게 개별화된 피드백을 제공함으로써 학생들이 자신의 강점과 개발할 수 있는 영역을 식별할 수 있도록 도와줍니다.

학교 개발 이니셔티브 및 책임성 조치에 클러스터링 및 기타 분류 방법이 적절하게 사용될 때 도움이 될 수 있습니다. 정책 입안자와 교육 리더는 표준화된 시험 점수, 졸업률 또는 교사 효과성과 같은 성과 지표를 기반으로 학교를 클러스터링함으로써 더 많은 도움이 필요한 학교를 식별할 수 있습니다. 이를 통해 학교의 필요에 부합하는 방식으로 자원을 배분할 수 있습니다.

교육 자료와 평가를 생성하고 정렬하는 과정에서 클러스터링과 분류는 두 가지 조직 전략이 도움이 될 수 있습니다. 교육자들이 학습 목표나 교육 표준을 클러스터링함으로써 교육 자원, 교수법 및 평가가 학생들에게 일관되고 진보적인 학습 경험을 제공하도록 보장할 수 있습니다.

교육 데이터의 시각적 표현을 제공하기 위해 클러스터링과 분류 과정을 사용할 수 있습니다. 이를 교육 데이터 시각화라고 합니다. 데이터 시각화는 다양한 기준에 따라 학생이나 학교를 그룹화함으로써 패턴과 상관관계의 이해하기 쉬운 표현을 제공할 수 있습니다. 이를 통해 교육자와 정책 입안자가 데이터에 기반한 교육적 결정을 내릴 수 있으며, 이는 모든 관련자에게 유익할 수 있습니다. 이러한 응용 프로그램은 의사 결정 지원, 개인화된 학습 기회 및 학생들의 교육 결과 개선을 통해 교육에서 클러스터링 및 분류 방법의 가능성을 보여줍니다.

## 5.2 교육 데이터 클러스터링 기법

클러스터링은 교육 데이터를 분석하고 데이터 내에 숨겨진 중요한 패턴이나 그룹을 찾는 데 유용한 도구입니다. 다음은 교육 데이터 클러스터링에 자주 사용되는 접근 방식들입니다.

**K-평균 클러스터링(K-means Clustering):** K-평균 알고리즘은 잘 알려진 클러스터링 방법으로, 데이터를 사전에 정해진 K개의 클러스터로 나눕니다. 알고리즘은 데이터 포인트를 가

장 가까운 클러스터 중심에 할당하고, 이 중심들을 업데이트 하는 과정을 반복합니다. K-평균은 학생 성과, 학습 행동, 인구 통계 정보와 같은 다양한 특성을 기반으로 교육 데이터를 클러스터링하는 데 사용될 수 있습니다.

**계층적 클러스터링(Hierarchical Clustering)**: 계층적 클러스터링은 유사성에 따라 클러스터를 반복적으로 병합하거나 분리하여 클러스터의 계층을 형성합니다. 이 방법은 클러스터의 수를 사전에 알 수 없을 때 유용하며, 교육 데이터의 자연스러운 그룹 구조를 강조할 수 있습니다.

**밀도 기반 클러스터링(Density-Based Clustering)**: DBSCAN과 같은 밀도 기반 클러스터링 알고리즘은 모든 형태와 크기의 클러스터를 탐지하는 데 적합합니다. 이 방법은 높은 밀도의 영역을 클러스터로 정의하고, 낮은 밀도의 영역으로 구분됩니다.

**가우시안 혼합 모델(Gaussian Mixture Models, GMM)**: GMM은 데이터 분포를 여러 가우시안 분포의 조합으로 나타내는 확률적 모델입니다. 이는 데이터 포인트가 제한된 수의 가우시안 분포에 의해 생성된다고 가정합니다.

**자기 조직화 맵(Self-Organizing Maps, SOM):** SOM은 비지도 학습을 사용하여 입력 데이터의 저차원 표현을 생성하는 인공 신경망의 일종입니다. 이는 고차원 데이터를 노드 또는 뉴런의 그리드로 매핑하여 유사한 데이터 조각을 서로 가까이 배치합니다.

**특성 선택 및 차원 축소(Feature Selection and Dimensionality Reduction):** 클러스터링 알고리즘을 적용하기 전에 특성 선택 또는 차원 축소 방법을 사용하여 변수의 수를 줄이거나 중요하지 않은 특성을 제거하는 것이 도움이 될 수 있습니다.

**평가 및 검증(Evaluation and Validation):** 클러스터링 과정을 완료한 후 결과를 평가하고 검증하는 것이 필수적입니다. 실루엣 계수, 데이비스-볼딘 지수 또는 클러스터 내 제곱합과 같은 다양한 지표를 사용할 수 있습니다.

**퍼지 클러스터링(Fuzzy Clustering):** 데이터 포인트를 단일 클러스터에 할당하는 대신 여러 클러스터에 소속될 수 있도록 하여, 각 클러스터에 대한 소속도를 부여합니다. 이는 교육 데이터에 포함된 모호성이나 중첩 패턴을 표현할 수 있게 해주는 퍼지 C-평균(Fuzzy C-means, FCM)과 같은 방법을 포함합니다.

**순차 패턴 마이닝(Sequential Pattern Mining):** 순차 패턴 마이닝은 순차 데이터에서 반복되는 패턴이나 시퀀스를 찾는 기법입니다. 교육 데이터에 적용될 때, 학생들의 학습 활동이나 행동에 나타나는 유사한 시퀀스를 탐지하는 데 사용될 수 있습니다.

**잠재 디리클레 할당(Latent Dirichlet Allocation, LDA):** LDA 는 주제 모델링에 주로 사용되는 확률적 모델로, 문서(이 경우 교육 데이터)가 여러 잠재 주제로 구성되어 있으며, 각 주제가 단어 또는 속성에 대한 분포로 특징지어진다고 가정합니다. LDA

를 학생 에세이나 포럼 토론과 같은 교육 데이터에 적용하여 잠재 주제나 테마를 발견하고 데이터를 이러한 발견에 기반하여 클러스터링할 수 있습니다.

**앙상블 클러스터링(Ensemble Clustering):** 앙상블 클러스터링은 여러 번의 동일 알고리즘 실행 또는 여러 다른 클러스터링 알고리즘의 결과를 결합하여 클러스터링 결과의 정확도와 일관성을 향상시키는 방법입니다. 교육 데이터에 대해 다양한 클러스터링 알고리즘의 결과를 집계하거나 클러스터링을 더 포괄적인 앙상블 학습 프레임워크의 일부로 사용하는 것을 포함할 수 있습니다.

**그래프 기반 클러스터링(Graph-Based Clustering):** 교육 데이터를 학생들과 그들의 상호작용 또는 교육 자원 간의 연결과 같은 그래프, 즉 네트워크로 표현할 수 있습니다. 스펙트럼 클러스터링이나 커뮤니티 탐지 알고리즘과 같은 그래프 기반 클러스터링 방법을 사용하여 교육 네트워크 내에서 클러스터나 커뮤니티를 발견함으로써, 밀접한 그룹이나 하위 그룹을 나타낼 수 있습니다.

**시계열 클러스터링(Time-series Clustering):** 교육 데이터에 시간에 따른 정보가 포함되어 있는 경우, 시계열 클러스터링 방법을 사용할 수 있습니다. 이러한 방법은 데이터의 순차적 구조를 고려하여 유사한 시간 패턴을 클러스터링합니다. 학생 성과의 시간에 따른 패턴을 연구하거나 교육 데이터에서 추세를 찾는 데 시계열 클러스터링이 유용할 수 있습니다.

**메타 클러스터링(Meta-clustering):** 여러 클러스터링 결과를 클러스터링하는 것으로, 원시 데이터 자체를 클러스터링하는 것이 아닌 여러 클러스터링 방법의 결과를 통합하는 것을 말합니다. 여러 반복을 통해 일관된 패턴을 찾아내어 신뢰할 수 있는 클러스터링 솔루션에 도달하려고 합니다. 교육 데이터 분석에서 메타 클러스터링은 알고리즘 선택의 편향을 줄이고 더 신뢰할 수 있는 클러스터를 제공할 수 있습니다.

DBSCAN(Density-Based Spatial Clustering of Applications with Noise): DBSCAN은 데이터 포인트를 밀도와 연결성에 기반하여 그룹화하는 밀도 기반 클러스터링 방법입니다. 다양한 형태와 밀도를 가진 클러스터를 처리할 수 있으며, 높은 밀도의 영역을 낮은 밀도의 영역과 구분하여 밀집된 영역을 식별합니다. 교육 데이터에서 클러스터가 다양한 밀도를 보이거나 데이터에 노이즈나 이상치가 존재하는 경우 DBSCAN이 효과적일 수 있습니다.

서브스페이스 클러스터링(Subspace Clustering): 데이터가 중요한 서브스페이스나 특성의 부분집합에 포함된 클러스터를 가지고 있는 경우 사용되는 클러스터링 방법입니다. 데이터의 다양한 서브스페이스 내에 존재하는 정보 그룹을 찾아내려고 합니다. 교육 데이터 분석에서 서브스페이스 클러스터링은 학생들의 성과나 행동에 대해 특정 특성이 중요할 수 있는 경우에 특히 유용할 수 있습니다.

**프로토타입 기반 클러스터링(Prototype-based Clustering):** 데이터 포인트를 제한된 수의 대표적인 프로토타입이나 중심점에 할당하는 알고리즘을 사용하는 클러스터링 접근 방식입니다. 프로토타입은 개별 데이터 포인트 또는 데이터 포인트의 집합일 수 있습니다. K-프로토타입과 퍼지 C-평균과 같은 알고리즘이 이 범주에 속합니다. 교육 데이터 분석에서 프로토타입 기반 클러스터링은 데이터의 주요 경향이나 대표적인 프로필을 파악하는 데 도움을 줄 수 있습니다.

**하이브리드 클러스터링(Hybrid Clustering):** 여러 다른 클러스터링 알고리즘을 결합하거나 클러스터링을 다른 데이터 분석 기법과 통합하는 접근 방식입니다. 예를 들어, 데이터의 차원 축소를 위해 주성분 분석(PCA)을 먼저 사용한 다음 클러스터링 알고리즘을 적용하거나, 계층적 클러스터링과 K-평균을 결합하는 하이브리드 전략이 될 수 있습니다. 하이브리드 클러스터링은 여러 클러스터링 알고리즘의 장점을 활용하여 클러스터링의 정확도와 해석 가능성을 향상시킬 수 있습니다.

**컨센서스 클러스터링(Consensus Clustering)**: 여러 클러스터링의 결과를 통합하여 일관된 클러스터링 솔루션을 생성하는 방법입니다. 다양한 반복이나 데이터의 서브셋을 통해 일관된 패턴을 찾아내 신뢰할 수 있는 클러스터링 결과에 도달하려고 합니다. 교육 데이터 분석에서 컨센서스 클러스터링은 알고리즘의 선택적 편향을 줄이고 더 신뢰성 있는 클러스터를 제공할 수 있습니다.

**준지도 클러스터링(Semi-Supervised Clustering)**: 일부 데이터 포인트가 레이블이 지정되어 있거나 일부 정보에만 접근할 수 있는 경우에 사용됩니다. 이 레이블이 지정된 데이터를 클러스터링 과정에 포함시켜 클러스터 생성을 안내합니다. 교육 데이터에서 알려진 레이블이나 지상 진실에 대한 정보가 일부만 사용 가능한 경우에 유용할 수 있습니다.

**진화적 클러스터링(Evolutionary Clustering)**: 자연 진화 과정을 모방하여 클러스터를 찾는 알고리즘입니다. 선택, 교차, 돌연변이와 같은 연산을 통해 세대를 거쳐 잠재적 해결책의 집단을 진화시킵니다. 교육 데이터 클러스터링 솔루션의 검색 공간이 넓고 복잡한 경우에 진화적 클러스터링을 사용할 수 있습니다.

밀도 피크 클러스터링(Density Peak Clustering, DPC): 데이터 포인트가 높은 로컬 밀도를 가지고 있고 더 높은 밀도를 가진 지점으로부터 짧은 거리에 있는 경우 클러스터 중심으로 식별하는 밀도 기반 기법입니다. 다양한 형태와 밀도를 가진 클러스터를 효과적으로 처리할 수 있습니다. 교육 데이터의 클러스터가 다양한 밀도와 형태를 보일 때 DPC가 효과적일 수 있습니다.

제약 기반 클러스터링(Constraint-based Clustering): 클러스터링 과정에서 사전 정보나 제약을 고려하는 방법입니다. 이러한 제약은 도메인 지식, 전문가의 입력, 데이터 포인트 간의 확립된 관계를 기반으로 설정될 수 있습니다. 교육 데이터 분석에서 특정 제약이나 규칙을 고려해야 하는 경우에 제약 기반 클러스터링이 유용할 수 있습니다.

**온라인 클러스터링(Online Clustering):** 스트리밍되는 데이터나 동적으로 변경되는 데이터를 처리할 수 있도록 설계된 클러스터링 기법입니다. 새로운 데이터가 수신될 때마다 클러스터링 모델을 점진적으로 조정하고 데이터 분포의 변화에 따라 적응합니다. 실시간 학습 분석 및 적응형 교육 시스템에서 온라인 클러스터링이 유용할 수 있습니다.

**공간 클러스터링(Spatial Clustering):** 교육 데이터를 분석할 때 데이터의 공간적 또는 지리적 특성을 고려하는 클러스터링 접근 방식입니다. 데이터 포인트의 근접성이나 교육 기관의 공간적 환경이 중요한 요소인 경우에 공간 클러스터링이 유용할 수 있습니다.

이러한 다양한 클러스터링 기법은 교육 데이터의 특성, 문제점 또는 목표를 고려하여 선택되어야 합니다. 데이터의 특정 요구사항과 연구 목적에 맞는 방법 또는 방법의 조합을 선택함으로써, 교육 데이터 분석에서 관련성 있고 신뢰할 수 있는 분석을 수행할 수 있습니다.

또한, 이러한 응용 프로그램은 클러스터링과 분류 방법이 교육에서 의사 결정 지원, 개인화된 학습 기회 및 학생들에게 개선된 교육 결과를 제공하는 데 있어 큰 가능성을 보여줍니다.

## 5.3 교육 데이터 분석을 위한 분류 알고리즘

교육 데이터 분석은 다양한 분류 기법의 도움으로 수행될 수 있습니다. 이 알고리즘들을 통해 학생들의 성과를 예측하고, 실패 위험에 처한 학생들을 식별하며, 관련 과정을 제안하고, 많은 교육 요소들을 분석할 수 있습니다. 다음은 교육 데이터 분석에 자주 사용되는 분류 알고리즘 목록입니다:

**의사 결정 트리(Decision Trees):** 사용의 용이성과 해석 가능성으로 인해 의사 결정 트리는 교육 데이터 분석 분야에서 널리 사용됩니다. 입력 특성에 따라 일련의 결정을 내리며, 관심 변수에 대한 예측을 할 수 있는 트리 형태의 모델을 생성합니다. 의사 결정 트리는 학생의 성공 수준 추정이나 학업 성취에 영향을 미치는 주요 요소 식별 등 다양한 목적으로 사용될 수 있습니다.

**랜덤 포레스트(Random Forest):** 많은 의사 결정 트리를 결합하여 예측 정확도를 향상시키는 앙상블 학습 방법입니다. 큰 데이터셋을 처리할 수 있으며, 누락된 값에 대처하고 특성의 중요도를 순위화할 수 있습니다.

**나이브 베이즈(Naive Bayes):** 베이즈 정리를 기반으로 하며, 고려되는 모든 특성이 서로 독립적이라고 가정하는 확률적 분류기입니다. 학생 코멘트의 감정 분석이나 논문을 사전에 정의된 카테고리로 분류하는 등의 텍스트 분류 작업에 일반적으로 사용됩니다.

**로지스틱 회귀(Logistic Regression):** 광범위한 적용 가능성으로 인해 교육 데이터 분석에 자주 사용되는 잘 알려진 분류 방법입니다. 입력 특성 집합과 이진 결과 사이의 관계를 모델링하여 학생이 시험에 합격할 확률을 평가하거나 학교를 중퇴할지 예측할 수 있습니다.

**서포트 벡터 머신(SVM):** 고차원 특성 공간에서 클래스를 분리하는 하이퍼플레인을 사용하는 고급 분류 방법입니다. 클래스 사이의 마진을 최적화하는 이상적인 하이퍼플레인을 찾는 것이 목표입니다. 학생의 학습 스타일 결정이나 학생 등록 패턴 예측 등 다양한 교육 활동에 사용될 수 있습니다.

**K-최근접 이웃(KNN):** 데이터 포인트의 클래스를 가장 가까운 이웃의 클래스에 기반하여 예측할 수 있는 비모수적 분류 기법입니다. 유사한 학생들의 성능을 바탕으로 학생 성능을 예측하거나 유사한 학생들의 선호도에 기반한 적절한 과정을 제안하는 데 사용될 수 있습니다.

**신경망(Neural Networks):** 복잡한 데이터 상관관계를 포착할 수 있는 능력으로 인해 최근 교육 데이터 분석에서 인기를 얻고 있습니다. 학생 성적 예측, 부정 행위 탐지, 교육 콘텐츠 개인화 등 다양한 목적으로 사용될 수 있습니다.

그래디언트 부스팅(Gradient Boosting): 여러 약한 학습자 (주로 의사 결정 트리)를 결합하여 강력한 예측 모델을 생성하는 앙상블 학습 방법입니다. XGBoost 및 LightGBM과 같은 그래디언트 부스팅 기법은 학생 성능 예측 및 지원이 필요한 학생 식별 등 다양한 작업에 사용됩니다.

이 외에도 숨겨진 마르코프 모델(HMMs), 규칙 기반 분류기, 커널 함수를 사용한 SVM, 유전 알고리즘, 베이지안 네트워크, 장단기 기억(LSTM), K-평균 클러스터링, 연관 규칙 마이닝, 익스트림 그래디언트 부스팅(XGBoost), 딥 빌리프 네트워크(DBNs), 컨볼루션 신경망(CNNs), 규칙 유도, 다층 퍼셉트론(MLP), 유전 프로그래밍 등 다양한 분류 알고리즘이 교육 데이터 분석에 활용될 수 있습니다.

장단기 기억(Long Short-Term Memory, LSTM)은 장기 의존성을 효율적으로 시뮬레이션할 수 있는 순환 신경망 (Recurrent Neural Network, RNN)의 한 형태입니다.

LSTM은 캘리포니아 대학교 버클리에서 개발되었습니다. 학생 성과의 시간에 따른 분석이나 과거 데이터를 기반으로 한 학생 중퇴 예측과 같은 시계열 교육 데이터 분석은 LSTM 사용에 특히 적합한 영역입니다.

**K-평균 클러스터링:** K-평균(K-Means)은 주로 클러스터링 기술이지만 분류 작업에도 활용될 수 있습니다. 데이터 포인트를 서로 유사한 K개의 클러스터로 조직합니다. K-평균은 학습 스타일에 따른 학생 세분화, 비슷한 학업 성과를 가진 학생 그룹 식별, 교육 자료의 내용 유사성에 따른 클러스터링과 같은 교육 데이터 분석 목적에 사용될 수 있습니다.

**연관 규칙 마이닝:** 연관 규칙 마이닝의 목적은 대규모 데이터셋 내에 숨겨진 잠재적으로 흥미로운 상관관계나 패턴을 식별하는 것입니다. 교육 데이터 분석을 수행하여 학생 행동, 과목 선택 패턴 또는 특정 사건의 동시 발생과 같은 연결고리를 발견하는 데 사용될 수 있습니다. 연관 규칙 마이닝은 교육자에게 학생 행동에 대한 새로운 관점을 제공하고 교육

환경에서 더 정보에 기반한 결정을 내리는 데 도움을 줄 수 있습니다.

XGBoost(Extreme Gradient Boosting, XGBoost): XGBoost는 그래디언트 부스팅 기법의 향상된 버전으로, 그 확장성과 성능으로 인해 인기를 얻었습니다. XGBoost는 누락된 정보 관리, 정규화 방법, 병렬 처리 등의 개선된 기능을 제공합니다. 교육 데이터 분석 분야에서 XGBoost는 학생 성과 예측 및 개인화된 학습 자료 추천과 같은 다양한 작업에 광범위하게 사용됩니다.

**딥 빌리프 네트워크(Deep Belief Networks, DBNs)**는 여러 층의 숨겨진 단위들로 구성된 딥 러닝 모델의 한 종류입니다. 이들은 입력 데이터의 계층적 표현을 학습할 수 있어 학생 성과 예측, 이상 징후 식별, 교육 추천 시스템 개발과 같은 작업에 유용합니다.

합성곱 신경망(Convolutional Neural Networks, CNNs)은 시퀀스나 이미지와 같은 격자 형태의 입력을 분석하기 위해 설계된 딥 러닝 모델의 하위 유형입니다. CNN은 교육 데이터 분석에서 필기 인식, 학생의 손으로 쓴 응답 연구, 교육 자료 내 항목 식별과 같은 다양한 작업에 사용될 수 있습니다.

규칙 유도: 규칙 유도 알고리즘은 데이터에서 관찰된 패턴을 적절하게 설명하는 규칙 모음을 생성하는 작업을 수행합니다. 학생 성공 예측, 학생 성능에 영향을 미치는 변수 찾기, 학생 행동 추세 인식과 같은 교육 데이터 분석 관련 작업에 이 도구들이 일반적으로 사용됩니다.

다층 퍼셉트론(Multilayer Perceptron, MLP)은 여러 층의 노드(뉴런)로 구성된 인공 신경망의 특정 유형입니다. MLP는 데이터의 복잡한 패턴과 비선형 상호작용을 처리할 수 있는 유연한 알고리즘입니다. MLP는 학생 성적 예측, 학생 학습 스타일 분류, 학생 성공에 영향을 미치는 변수 결정과 같은 다양한 교육 데이터 분석 작업에 자주 사용됩니다.

**유전 프로그래밍:** 유전 프로그래밍은 진화 알고리즘을 사용하여 컴퓨터 프로그램을 개발하는 과정입니다. 복잡한 패턴 자동 발견 및 예측 모델 생성과 같은 교육 데이터 분석에 잠재적인 응용 가능성이 있습니다. 유전 프로그래밍은 학생 성과 예측 모델 최적화, 맞춤형 학습 경로 생성, 규칙 기반 분류기 생성 등에 사용될 수 있습니다.

**은닉 마르코프 모델과 나이브 베이즈 하이브리드(Hidden Markov Model and Naive Bayes Hybrid):** 이 하이브리드 전략은 은익 마르코프 모델(HMMs)의 장점과 나이브 베이즈 알고리즘의 장점을 결합합니다. 이 접근 방식은 나이브 베이즈가 특성 간의 독립성에 대해 가정하는 것과 HMM이 나타내는 시간적 의존성을 결합합니다. 이 방법은 학생들의 행동을 일정 기간 동안 예측하거나 학생 참여 패턴을 분류하는 등 순차적 교육 데이터 평가에 유용합니다.

**동적 시간 왜곡(Dynamic Time Warping, DTW):** DTW는

두 시계열 데이터 세트 간의 유사도를 측정하는 데 사용되는 거리 기반 기술입니다. 길이가 다른 시퀀스를 비교하거나 다양한 속도의 시퀀스를 비교할 때 유용합니다. 교육 데이터 분석에서 DTW를 사용하면 학생 성과 경로 분석, 학습 곡선 비교, 학생 행동 경향 식별에 도움이 됩니다.

자기 조직화 맵(Self-Organizing Maps, SOM): SOM은 고차원 데이터 세트의 저차원 표현을 생성하는 비지도 학습 방법입니다. 클러스터링과 시각화에 자주 사용됩니다. 교육 데이터 분석에서 SOM은 학생 성과 데이터의 패턴 식별, 학습 프로필에 따른 학생 그룹화, 학생 특성 분포 시각화에 도움이 될 수 있습니다.

적응형 부스팅(Adaptive Boosting, AdaBoost): AdaBoost는 여러 개의 정확도가 낮은 분류기를 결합하여 더 정확한 최종 결과를 얻는 앙상블 학습 기법입니다. 이전에 간단한 분류기가 잘못 레이블링한 경우를 더 중요하게 다루어 후속 라운드에서 이러한 경우에 더 큰 가중치를 부여합니다. 교육 데이터 분석에서 AdaBoost는 학생 중퇴 예측, 학생 성과의 주요 요인 식별, 개별화된 개입 전략 개발 등 다양한 작업에 사용될 수 있습니다.

**장기 단기 기억 모델과 주의(LSTM-Attention):** 이 방법은 주의 메커니즘을 결합한 LSTM으로 순차 데이터 모델링을 개선합니다. 주의 메커니즘을 통해 모델이 입력 시퀀스의 가장 중요한 부분에 집중할 수 있게 하여 미래 예측을 위해 중요한 부분에 집중합니다. LSTM-Attention은 맞춤형 추천 생성, 학생 행동 경향 분석, 순차 데이터를 기반으로 한 학생 성과 예측 등 다양한 용도로 사용될 수 있습니다.

**최근접 중심 분류기(Nearest Centroid Classifier):** 이 분류기는 거리 측정을 사용하여 새로운 인스턴스를 가장 가까운 중심을 가진 클래스에 할당합니다. 각 클래스에 속하는 훈련 예제의 특성 값 평균을 사용하여 각 클래스의 중심을 결정합니다. 이 방법은 학생을 특성에 따라 분류하거나 인구 통계적 요인에 따라 학생 성과를 예측하는 등 다양한 작업에 사용될 수 있습니다.

**규칙 기반 전문 시스템(Rule-Based Expert Systems)**: 규칙 기반 전문 시스템은 사전 정의된 if-then 규칙 세트에 따라 데이터를 판단하거나 분류할 수 있습니다. 이 규칙은 일반적으로 도메인 지식이나 전문가의 입력을 바탕으로 생성됩니다. 규칙 기반 전문 시스템은 의사 결정 프로세스 자동화, 학생에게 맞춤형 제안 제공, 학습 문제 진단 지원 등 교육 데이터 분석에서 다양한 응용 프로그램을 가질 수 있습니다.

**딥 뉴럴 네트워크 앙상블(Deep Neural Network Ensemble)**: 이 전략은 여러 개의 다른 딥 뉴럴 네트워크를 결합하여 앙상블 모델을 생성합니다. 각 네트워크는 고유한 구조, 초기화 또는 훈련 전략을 가질 수 있습니다. 딥 뉴럴 네트워크 앙상블은 학생 참여 패턴 탐지, 학생 성과 예측, 추천 시스템 생성 등 교육 데이터 분석 작업에서 예측의 견고성과 일반화를 향상시킬 수 있습니다.

**인스턴스 기반 학습(Instance-Based Learning, IBL)**: IBL 알고리즘은 훈련 세트의 인스턴스와 새로 분류할 인스턴스 간의 유사성을 기반으로 예측을 생성합니다. 이 유사성은 알고리즘이 새 인스턴스를 어떻게 분류할지 결정하는 데 도움이 됩니다. IBL 알고리즘은 맞춤형 학습, 학생 성과 예측, 과거 학생 데이터를 기반으로 적절한 과정 추천 등 교육 데이터 분석 분야에서 다양하게 활용될 수 있습니다.

**규칙 학습 알고리즘(Rule Learning Algorithms):** 규칙 학습 알고리즘은 데이터에서 자동으로 규칙을 찾아내며, 도메인 전문가로부터 명시적인 규칙을 제공받지 않아도 됩니다. 이 알고리즘은 데이터를 분석하여 패턴과 상관관계를 발견하고 이를 기반으로 이해할 수 있는 규칙을 생성합니다. 규칙 학습 알고리즘의 적용을 통해 교육 데이터에서 실행 가능한 인사이트를 추출하고, 학생 성공에 영향을 미치는 변수를 식별하며, 교육 전문가를 위한 의사 결정 지원 시스템을 개발할 수 있습니다.

**익스트림 러닝 머신(Extreme Learning Machines, ELM):** ELM은 무작위로 생성된 가중치를 가진 단일 은닉층 뉴럴 네트워크를 사용하는 머신 러닝 방법입니다. 대규모 데이터셋을 잘 처리할 수 있으며, 빠른 훈련과 예측이 가능한 장점을 가집니다. 교육 데이터 분석 분야에서 ELM은 교육 데이터의 패턴 평가, 학생 결과 예측, 학생 학습 스타일 분류 등 다양한 작업에 활용될 수 있습니다.

**유전 퍼지 시스템(Genetic Fuzzy Systems):** 유전 알고리즘과 퍼지 논리를 결합한 유전 퍼지 시스템은 교육 데이터의 모호성과 부정확성을 처리할 수 있는 모델을 생성합니다. 이 시스템은 데이터로부터 퍼지 규칙과 멤버십 함수를 학습하고 이를 조정하는 데 진화 알고리즘을 사용합니다. 유전 퍼지 시스템의 사용은 학생 성과 예측, 학생 행동 분석, 맞춤형 교육 개입 개발 등 다양한 작업에 유용할 수 있습니다.

**규칙 앙상블 학습(Rule Ensemble Learning):** 규칙 앙상블 학습은 여러 규칙 기반 분류기를 결합하여 예측을 생성할 수 있는 앙상블 모델을 생성합니다. 앙상블 모델은 각 규칙 기반 분류기의 출력을 규칙 세트로 결합하여 예측을 생성합니다.

규칙 앙상블 학습은 학생 성과 예측, 위험에 처한 학생의 조기 탐지, 학습 스타일에 따른 학생 분류 등 교육 데이터 분석 작업에 활용될 수 있습니다.

**딥 강화 학습(Deep Reinforcement Learning, DRL):** DRL은 딥 뉴럴 네트워크와 강화 학습 알고리즘을 결합하여 순차적 의사 결정 문제를 해결합니다. 교육 데이터 분석에서 DRL은 학습 정책 최적화, 맞춤형 학습 환경 구축, 개별 학생 요구에 적응할 수 있는 지능형 튜터 시스템 개발 등에 활용될 수 있습니다.

**서포트 벡터 클러스터링(Support Vector Clustering, SVC):** SVC는 클러스터 간의 마진을 최적화하는 최적의 초평면을 찾아 인스턴스를 클러스터링하는 비지도 학습 기법입니다. SVC는 학생 성과나 행동에 따른 학생 세분화, 유사한 학생 그룹 식별, 교육 자료의 내용 유사성에 따른 클러스터링 등 다양한 작업에 활용될 수 있습니다.

**HIS 모델(Hidden Information State Models):** HIS 모델은 교육 환경에서 발생하는 에이전트 간의 동적 상호작용을 설명하고 분석하는 데 사용됩니다. 이 모델은 학습 과정에서 숨겨진 잠재 상태와 정보를 밝혀내는 데 도움을 줍니다. HIS 모델은 학생-교사 상호작용 모델링, 협력 학습 분석, 학생 참여 예측 등 다양한 목적으로 활용될 수 있습니다.

**오토인코더(Autoencoders):** 오토인코더는 입력 데이터의 효과적인 표현을 학습하는 목적을 가진 비지도 학습 모델입니다. 오토인코더는 입력 데이터를 저차원 잠재 공간으로 매핑하는 인코더와 잠재 공간의 데이터를 복원하는 디코더로 구성됩니다. 교육 데이터 분석 프로젝트에서 오토인코더는 차원 축소, 이상 탐지, 특징 추출 등의 목적으로 사용될 수 있습니다.

이러한 추가 분류 기법을 통해 교육 데이터 분석을 다양한 관점에서 접근할 수 있습니다. 알고리즘 선택은 특정 목표, 데이터셋의 특성, 원하는 결과에 따라 달라질 수 있습니다.

## 5.4 교육 분야에서의 클러스터링과 분류 기법의 응용

교육 분야에서 클러스터링 및 분류 방법론은 유용한 통찰을 얻고, 데이터에 기반한 판단을 내리며, 교육 결과를 향상시키기 위한 다양한 맥락에서 사용될 수 있습니다. 클러스터링과 분류가 교육 분야에 적용될 수 있는 몇 가지 방법을 살펴보겠습니다:

**학생 성과 분석:** 클러스터링 알고리즘을 사용하여 학생들을 학업 성적, 출석 습관 또는 학습 선호도에 따라 그룹화할 수 있습니다. 교육자들은 이 정보를 사용하여 학업적으로 부진한 학생들을 식별하고 추가 지원이 필요할 수 있으며, 학업적으로 우수한 학생들을 식별하고 풍부한 프로그램에서 혜택을 받을 수 있습니다.

**선호 학습 스타일 식별:** 클러스터링 알고리즘은 학생들의 선호 학습 스타일(예: 시각적, 청각적 또는 운동감각적 학습 스타일)에 대한 데이터 분석을 수행할 수 있습니다. 이 지식은 교육 방법을 개인화하고 각 학생의 독특한 선호도에 맞는 교수 전략을 개발하는 데 사용될 수 있습니다.

**과정 추천 시스템:** 분류 방법은 과거 과정 성적, 취미, 진로 희망 등을 포함한 학생 데이터를 평가하여 관련 과정이나 교육 경로를 제안할 수 있습니다. 이 시스템은 학생의 능력과 관심사에 적합한 수업을 추천할 수 있습니다.

**중퇴 예측:** 분류 알고리즘은 학교나 특정 과정에서 중퇴할 위험이 높은 학생들을 식별하는 데 도움을 줄 수 있습니다. 출석, 성적, 사회경제적 배경, 참여 수준 등 다양한 요인을 고려함으로써 교육자들은 조기에 개입하고 위험에 처한 학생들에게 맞춤형 지원을 제공할 수 있습니다.

**적응형 학습:** 클러스터링 알고리즘을 사용하여 유사한 학습 프로필을 가진 학생들을 그룹화할 수 있습니다. 이를 통해 적응형 학습 시스템을 구축할 수 있습니다. 이 시스템은 교육 내용과 전달 방식을 각 클러스터의 특정 요구에 맞게 조정할

수 있으며, 이를 통해 개인화된 교육 기회를 제공하고 학생 참여 및 전반적인 학업 성과를 향상시킬 수 있습니다.

**교육 데이터 마이닝:** 클러스터링 및 분류 기법은 교육 분야의 대규모 데이터셋에 적용될 때 이전에 숨겨지거나 명백하지 않았던 패턴과 상관관계를 밝혀낼 수 있습니다. 학업 성적, 행동 패턴, 개별 학생의 인구 통계 데이터를 분석함으로써 연구자와 교육자는 교육 결과에 영향을 미치는 요소를 파악하고 교수 및 학습 과정을 개선하기 위한 데이터 기반 결정을 내릴 수 있습니다.

**그룹 형성:** 클러스터링 알고리즘은 협력 학습 활동을 위한 다양하고 균형 잡힌 학생 그룹을 형성하는 데 사용될 수 있습니다. 학생들의 학업 능력, 관심사 및 그룹의 사회적 역학을 고려함으로써 교육자들은 동료 학습을 촉진하고 협력 기술을 향상시키는 그룹을 설계할 수 있습니다.

**교육 자료 조직:** 클러스터링 방법은 교과서, 온라인 자료 및

디지털 정보와 같은 교육 자료를 조직하는 데 도움이 될 수 있습니다. 자료를 과목, 난이도 수준 또는 학습 목표에 따라 클러스터링함으로써 교육자는 자료를 보다 효과적으로 관리하고 학생들에게 관련 자료를 추천할 수 있으며, 이는 학생들에게 향상된 학습 경험을 제공합니다.

**적응형 평가:** 분류 알고리즘은 학생의 역량 수준에 따라 적절한 난이도 수준이나 문제 유형을 할당하거나 분류하는 데 도움이 될 수 있는 적응형 평가 시스템에서 유용할 수 있습니다. 적응형 접근 방식을 사용하면 학생들이 자신에게 적합한 도전을 받고 맞춤형 피드백을 받을 수 있습니다.

특수 요구를 가진 어린이를 위한 조기 개입: 클러스터링 및 분류는 특정 학습 문제나 특수 요구를 가진 어린이들의 패턴과 특징을 식별하는 데 사용될 수 있는 전략입니다. 교육자들이 이러한 경향을 조기에 식별할 수 있게 되면, 해당 어린이들을 돕고 학업 경력을 발전시킬 수 있는 맞춤형 개입 및 조정을 제공할 수 있습니다.

클러스터링 및 분류 알고리즘은 개별 학생의 학업 어려움 영역을 식별하는 데 사용될 수 있으며, 이는 맞춤형 보충 교육의 첫 단계입니다. 학생 성과 데이터 분석을 통해 교육자는 학생들 사이에 널리 퍼진 오해나 학습 격차를 발견하고 이러한 영역을 해결하기 위해 학생들에게 집중된 보충 프로그램을 제공할 수 있습니다. 이는 개인화된 학습과 학업 성공을 촉진합니다.

## 5.4. 교육 분야에서 순차 패턴 마이닝

순차 패턴 마이닝은 대규모 데이터셋에서 흥미롭고 관련성 있는 순차 패턴을 식별하려는 데이터 마이닝 방법입니다. 이 기술의 이름은 주로 순차 패턴에 초점을 맞추고 있다는 사실에서 유래합니다. 교육 분야에서 순차 패턴 마이닝은 교육 데이터 분석에 사용될 수 있으며, 학습 패턴의 순서나 학생 행동 패턴을 인식하는 데 사용될 수 있습니다. 이러한 패턴은 학생 성과, 학습 기법 및 교수 활동 설계에 유용한 통찰을 제공할 수 있습니다.

교육 설정에서 순차 패턴 마이닝의 가능한 응용 분야는 다음과 같습니다.

**정보 수집:** 학생 활동 로그, 시험 결과 또는 온라인 학습 플랫폼에서의 정보와 같은 관련 교육 데이터를 수집하는 것이 첫 단계입니다. 이러한 통계는 시간에 따른 학생들의 행동이나 행위의 순차적 특성을 나타내야 합니다.

**전처리:** 순차 패턴 마이닝 알고리즘을 사용하기 전에 데이터를 전처리하는 것이 필요합니다. 이 과정에서 데이터를 정리하고, 적절한 형식으로 변환하며, 분석을 위한 관련 속성이나 변수를 선택할 수 있습니다.

**마이닝 알고리즘:** Apriori 기반 기술, PrefixSpan, SPADE와 같은 다양한 알고리즘을 사용하여 순차 패턴 마이닝을 수행할 수 있습니다. 이 알고리즘들은 사용자가 지정한 지지도와 신뢰도 기준에 따라 반복되는 패턴을 찾습니다.

**패턴 추출:** 순차 패턴 마이닝 방법은 데이터에서 반복되는 이벤트 또는 활동의 순서를 나타내는 공통 패턴을 찾아냅니다. 이러한 패턴은 성공적이거나 실패한 학생들과 관련된 유사한 학습 경로, 학습 습관 또는 활동 순서를 반영할 수 있습니다.

**행동 결정:** 마이닝을 통해 얻은 순차 패턴의 이해는 교수 설계, 교육 과정 구조, 개인화된 학습 제안 또는 학업 문제가 있는 학생들의 조기 식별에 사용될 수 있습니다. 이러한 패턴은 교육 개입을 개선하고 학생들에게 성과에 대한 피드백을 제공하는 데에도 사용될 수 있습니다.

**적응형 학습 전략:** 순차 패턴 마이닝을 사용하여 학생 성과 향상으로 이어지는 효과적인 학습 순서나 패턴을 마이닝할 수 있습니다. 교육 시스템은 성공적인 학생들에 의해 수행된 연속적인 단계의 분석을 통해 개별 학생의 독특한 요구에 맞춰 교육 경험을 맞춤화할 수 있습니다. 이는 사용자의 필요에 맞는 제안을 제공하거나, 적응 가능한 방식으로 콘텐츠를 제공하거나, 발견된 패턴에 따라 개입하는 것을 포함할 수 있습

니다.

**과정 재설계:** 순차 패턴 마이닝은 학생 참여 및 학습 진행 패턴을 보여주어 과정을 재설계하는 데 도움이 될 수 있습니다. 교육자는 학생들이 접근하는 활동 및 자료의 순서 분석을 통해 과정 설계의 개선이 필요한 영역을 발견할 수 있습니다. 예를 들어, 학생들이 특정 주제를 공부하거나 특정 학습 자원을 사용하는 것을 자주 회피한다면, 이는 해당 구성 요소를 개선해야 함을 나타낼 수 있습니다.

**예측 분석:** 순차 패턴 마이닝은 교육 설정에서 예측 분석에도 사용될 수 있습니다. 성공적이거나 실패한 학생 결과와 관련된 패턴을 식별하여 예측 모델을 개발함으로써 학생 성과를 예측할 수 있습니다. 이를 통해 교육자는 조기에 개입하고, 집중 지원을 제공하거나, 학생 성공률을 높이기 위한 선제적 조치를 취할 수 있습니다.

**과정 또는 교육 프로그램 내 학생 학습 경로 분석:** 순차 패턴 마이닝은 과정 또는 교육 프로그램에 참여하는 학생들의 학습 경로에 대한 통찰력을 제공할 수 있습니다. 교육자는 학생들이 특정 학습 자원에 접근하거나 특정 활동에 참여하는 행동의 순서와 빈도에 대한 조사를 통해 학생들이 선호하는 경로를 더 잘 이해할 수 있습니다. 이 정보를 활용하면 자료의 순서를 최적화하고, 학습 경험을 지지하며, 잠재적인 장애물이나 오해를 식별할 수 있습니다.

**협력적 학습 분석:** 순차 패턴 마이닝은 협력적 학습 환경에서 학생들이 서로 협력하고 상호 작용하는 방식을 조사하는 데 사용될 수 있습니다. 기여, 상호 작용 또는 사회적 참여의 순서를 분석함으로써 교육자는 성공적인 협력 전략, 그룹 역학 또는 동료 영향이 학습 결과에 미치는 영향에 대한 유용한 통찰력을 얻을 수 있습니다. 이 정보는 협력 활동을 설계하는 데 도움이 되어 학생들 사이의 의미 있고 생산적인 관계를 촉진할 수 있습니다.

**교육 연구 지원:** 순차 패턴 마이닝 접근 방식을 사용하여 대규모 교육 데이터셋에서 패턴을 발견함으로써 교육 연구를 지원할 수 있습니다. 연구자들은 이러한 패턴을 사용하여 학습 이론, 교수 방법 또는 다양한 변수가 학생 성과에 미치는 영향에 대한 연구 주제를 조사할 수 있습니다. 순차 패턴 마이닝은 이전에 알려지지 않은 개념을 발견하고, 확립된 교육 이론을 검증하거나 개선하는 데 도움이 될 수 있습니다.

**개입 및 지원:** 순차 패턴 마이닝은 학업 문제를 겪을 위험이 있는 학생들과 관련된 조기 경고 신호나 패턴을 발견하는 데 사용될 수 있습니다. 학생 행동의 순서, 예를 들어 참여도의 급격한 감소나 과제 누락의 패턴을 분석함으로써 교육자는 어려움을 겪는 학생들에게 적시에 개입하고 지원을 제공할 수 있습니다. 이는 개별적인 피드백, 대상별 치료 또는 개별 요구를 충족하기 위해 특별히 설계된 추가 자원을 포함할 수 있습니다.

**교육 과정 평가 및 조정:** 순차 패턴 마이닝은 학생 활동, 평가 및 성과의 패턴 분석을 통해 교육 과정을 목표 학습 목표 및 기준과 정확하게 조정하는 데 도움이 될 수 있습니다. 이 정보를 사용하여 교육 과정 설계를 개선하고, 교수 전략을 수정하거나, 기대되는 기술 및 지식 습득을 보다 정확하게 평가하기 위해 평가를 업데이트할 수 있습니다.

**교사 전문 개발 지원:** 순차 패턴 마이닝은 성공적인 교수 전략이나 교수 순서를 발견함으로써 교사의 전문 개발을 지원할 수 있습니다. 학생들의 결과와 학습 궤적의 추세를 평가함으로써 교육자는 학생 참여와 성취를 높이는 교수 관행에 대한 통찰력을 얻을 수 있습니다. 이러한 발견은 교사 교육 프로그램, 멘토십 관계 및 협력적 전문 학습 커뮤니티를 개선하는 데 사용될 수 있습니다.

**데이터 기반 의사 결정 지원:** 순차 패턴 마이닝은 교육자와 교육 기관이 대규모 교육 데이터셋에서 얻은 증거에 기반한 데이터 기반 의사 결정을 내릴 수 있게 합니다. 학생 행동 및 학습 순서에서 중요한 패턴과 관계를 인식함으로써 교육 이해 관계자는 교육 과정, 교수 방법, 정책 결정 및 자원 배분을 안내하는 데 도움이 되는 유용한 통찰력을 얻을 수 있습니다.

**교육 절차의 지속적인 개발 지원:** 순차 패턴 마이닝은 학생들이 경험하는 성공과 실패의 패턴 분석을 통해 교육 및 학습 결과를 개선하기 위해 수정이나 개입이 필요한 영역을 식별하는 데 도움이 될 수 있습니다. 순차 패턴 마이닝을 반복적으로 사용하면 교육 방법과 개입의 지속적인 평가 및 개선을 촉진하는 데 도움이 될 수 있습니다.

**학생 학습 경로 시각화:** 순차 패턴 마이닝은 학생 학습 경로의 시각적 표현을 생성하는 데 사용될 수 있습니다. 이러한 시각화를 통해 학생들은 자신의 학습 경로를 더 잘 이해하고, 개선할 수 있는 영역을 식별하며, 교육 목표를 설정할 수 있습니다. 이러한 시각적 표현을 제공함으로써 학생들은 메타인지를 발달시키고 자신의 학습에 대한 책임을 지게 됩니다.

**윤리적 고려 사항:** 교육 분야에서 순차 패턴 마이닝을 사용할 때는 윤리적 함의와 개인 정보 보호 문제를 고려하는 것이 중요합니다. 학생 데이터는 처리되기 전에 익명화되어야 하며, 적용 가능한 데이터 보호 법률에 따라 처리되어야 합니다. 학생 정보의 개인 정보 보호와 기밀성을 보장하기 위해 투명성, 정보에 입각한 동의 및 안전한 데이터 저장이 필수적입니다.

6장. 교육 데이터에서의 소셜 네트워크 분석

## 6.1 소개

교육 분야에서 "소셜 네트워크 분석"(SNA)이란 주어진 교육 환경 내의 사람들 사이에 존재하는 사회적 관계와 상호작용을 이해하고 조사하기 위해 네트워크 분석 방법을 사용하는 관행을 말합니다. 학생, 교사, 관리자 및 기타 이해관계자 간의 관계 패턴, 정보 흐름 및 사회적 역학을 조사하는 것이 이 연구 분야의 일부입니다.

교육 분야에서 소셜 네트워크 분석의 중요한 측면과 가능한 사용 사례는 다음과 같습니다.

**다양한 사회 구조 인식**: SNA는 교육 환경 내의 공식 및 비공식 사회 구조를 식별하는 데 도움이 될 수 있습니다. 연구자들은 링크와 상호작용을 매핑함으로써 중요한 개인, 조직 및 커뮤니티를 발견할 수 있습니다. 이 정보를 통해 기관 내의 사회적 역학과 계층 구조에 대한 더 나은 이해를 얻을 수 있습니다.

**협업 및 정보 교환:** SNA는 학생, 교사 및 기타 이해관계자가 협업 활동 및 정보 교환에 참여할 기회를 식별하는 데 도움이 될 수 있습니다. 시스템 내의 커뮤니케이션 패턴과 정보 흐름을 평가함으로써 교육자는 지식 중개자 또는 네트워크 내 영향력 있는 사람으로 기능하는 핵심 인물을 식별할 수 있습니다. 이 정보는 정보 배포의 효율성을 향상시키고 학술 커뮤니티 내에서 협업을 용이하게 하는 데 사용될 수 있습니다.

**학생 성과 예측:** SNA는 학생 간의 연결과 그들의 학업 성과 간의 관계에 대한 통찰력을 제공할 수 있습니다. 연구자들은 사회 네트워크를 연구하고 결과를 평가함으로써 학생 성공 또는 실패를 나타내는 패턴과 신호를 찾을 수 있습니다. 예를 들어, 네트워크 내에서 고립되거나 연결이 없는 학생을 식별할 수 있다면 교육자는 적절한 지원을 제공하여 이러한 개인

에게 개입할 수 있습니다.

**지원 시스템 분석**: SNA는 교육 기관의 학생과 교사 모두가 접근할 수 있는 다양한 지원 시스템을 조사할 수 있는 방법입니다. 지원, 멘토링 또는 조언을 제공할 수 있는 개인 또는 조직을 식별하는 데 도움이 될 수 있습니다. 이 정보를 사용하여 지원 시스템을 강화하고 학생과 교사 모두가 지지적인 환경에 둘러싸여 있도록 할 수 있습니다.

**개입 및 정책 계획**: SNA는 교육 기관 내에서 개입 전략과 정책 개발을 안내하는 데 사용될 수 있습니다. 네트워크 구조를 분석함으로써 교육자와 정책 입안자는 개선이 필요한 영역, 잠재적 병목 현상 및 커뮤니케이션 및 정보 흐름의 격차를 발견할 수 있습니다. 이 정보는 협업, 정보 배포 및 전반적인 교육 결과를 개선하기 위한 집중적인 조치와 정책을 개발하는 데 지침으로 사용될 수 있습니다.

**학습 커뮤니티 발견**: SNA는 교육 기관 내에 존재하는 학습

커뮤니티를 찾는 데 도움이 될 수 있습니다. 학생과 교사 간의 상호작용 및 협력 패턴을 분석함으로써 지식 공유, 동료지원 또는 협력 학습 활동에 정기적으로 참여하는 개인 또는 그룹의 클러스터를 식별할 수 있습니다. 교육자가 커뮤니티를 더 잘 이해하면 생산적인 학습 환경을 만들고 지원하는 데 도움이 될 수 있습니다.

**사회적 통합 정도 평가:** SNA는 특정 학교나 기관의 학생들 사이의 사회적 통합 정도를 결정하는 데 사용될 수 있습니다. 다양한 배경, 예를 들어 다른 인종 또는 사회경제적 그룹에서 온 학생들이 서로 어떻게 상호 작용하고 관계를 형성하는지에 대한 통찰력을 제공할 수 있습니다. 이 정보는 교육 기관의 포용성 및 사회적 결속력에 대한 분석을 수행하고 통합을 개선하며 모든 학생들에게 평등한 기회를 보장하기 위한 조치를 개발하는 데 사용될 수 있습니다.

**정보 전파 모니터링:** SNA는 교육 네트워크 내에서 정보나 혁신이 어떻게 전파되는지 모니터링하는 데 사용될 수 있습

니다. 사회적 관계를 통해 정보가 어떻게 이동하는지 평가함으로써, 연구자들은 아이디어나 관행을 전파하는 데 중요한 역할을 하는 오피니언 리더나 조기 채택자를 식별할 수 있습니다. 이 정보는 교육 개혁을 효율적으로 구현하고 혁신을 확대하는 전략을 개발하는 데 사용될 수 있습니다.

**교육 개입 또는 프로그램의 영향 분석:** SNA는 교육 개입 또는 프로그램의 영향을 분석하는 데 사용될 수 있습니다. 개입 전후의 네트워크 구조와 역학을 비교함으로써, 연구자들은 네트워크 내의 연결, 협력 패턴 또는 정보 전파의 변화를 평가할 수 있습니다. 이 평가는 개입의 효과와 범위에 대한 통찰력을 제공할 수 있습니다.

**온라인 학습 커뮤니티 내의 상호작용 및 협력 분석:** 온라인 학습 플랫폼과 가상 교실의 확산으로, SNA는 온라인 학습 커뮤니티에서 발생하는 상호작용과 협력을 조사하는 데 사용될 수 있습니다. 이는 이러한 가상 환경 내에서 활동 패턴, 커뮤니케이션 허브 및 주요 인물을 식별하는 데 사용될 수 있습니다. 온라인 학습 네트워크의 구조와 역학에 대한 이해는 유용한 온라인 코스와 지원 시스템을 개발하는 데 도움이 될 수 있습니다.

**멘토링 기회 및 전문 개발 기회 발견:** SNA는 교육 커뮤니티 내에서 멘토링 프로그램을 찾는 데 사용될 수 있으며, 멘토링 관계와 전문 지식 공유 네트워크를 매핑함으로써 잠재적인 멘토링 연결과 전문 지식 공유 네트워크를 밝혀낼 수 있습니다. 이 정보는 멘토링 프로그램과 집중적인 전문 개발 노력을 가능하게 하는 데 사용될 수 있습니다.

**장애물 및 기회 발견:** SNA는 교육 네트워크 내에서 커뮤니케이션, 협력 또는 자원 접근을 방해할 수 있는 장애물이나 기회를 발견하는 데 도움이 될 수 있습니다. 네트워크의 토폴로지를 평가함으로써, 연구자들은 더 큰 네트워크에서 분리된 개인이나 그룹을 식별할 수 있습니다. 이 정보는 이러한 격차를 해소하고, 포용을 촉진하며, 모든 참여자에게 평등한 기회를 보장하는 데 도움이 되는 이니셔티브를 개발하는 데 사용될 수 있습니다.

**정보 탐색 행동 분석:** SNA는 교육 네트워크 내에서 정보를 탐색하고 공유하는 방법에 대한 통찰력을 제공할 수 있습니다. 정보 흐름과 정보 탐색 패턴을 조사함으로써, 교육자와 연구자들은 지식이 어떻게 획득되고 전파되는지에 대한 새로운 통찰력을 얻을 수 있습니다. 이 지식을 바탕으로 정보 자원, 교수법 및 개입을 더 효과적으로 설계하여 성공적인 정보 탐색 행동을 촉진할 수 있습니다.

**사회적 규범과 학생 피드백 분석:** SNA는 사회적 규범과 학생 피드백의 분석을 통해 교육 결과와 행동에 대한 동료의 영향을 식별할 수 있습니다. 학생들 사이의 사회적 연결과 상호작용을 조사함으로써, 연구자들은 유사한 태도, 행동 또는 학업 성취도를 가진 동료 그룹을 찾을 수 있습니다. 이 정보는 동료 영향이 학습 결과에 미치는 영향을 더 잘 이해하고 긍정적인 동료 영향을 활용하여 교육 결과를 개선하는 전략을 개발하는 데 사용될 수 있습니다.

**교육 커뮤니티 내의 사회적 지원 네트워크 이해:** SNA는 교육 커뮤니티 내에서 존재하는 사회적 지원 네트워크에 대한 통찰력을 제공할 수 있습니다. 연결과 상호작용을 매핑함으로써, 교육자들은 학생들에게 정서적 지원, 조언 또는 멘토링을 제공할 수 있는 개인이나 그룹을 찾을 수 있습니다. 이러한 네트워크에 대한 이해는 더 강력한 지원 시스템을 구축하고 학생들과 교사들 사이에 소속감과 전반적인 웰빙을 증진하는 데 도움이 될 수 있습니다.

**연구 네트워크 내의 협력과 상호작용 분석:** SNA는 교육 기관 내의 연구 파트너십에서 발생하는 협력과 상호작용을 조사하는 데 사용될 수 있습니다. 공동 저술 네트워크와 연구자 간의 협력 패턴을 분석함으로써, SNA는 연구 클러스터, 주요 학자들, 그리고 학술 커뮤니티 전반에 걸친 정보의 확산에 대한 통찰력을 제공할 수 있습니다. 이 정보는 학제 간 협력을 촉진하고, 잠재적인 연구 파트너를 식별하며, 혁신을 용이하게 하는 데 도움이 될 수 있습니다.

**교실 그룹화 전략에 대한 정보 제공:** SNA는 학생들을 교실에서 어떻게 그룹화할지에 대한 통찰력을 제공하는 데 사용될 수 있습니다. 학생들 사이의 친구 관계, 상호작용 또는 보완적인 기술 세트의 패턴을 분석함으로써, 교사들은 사회적 역학과 학습 결과에 긍정적인 동료 영향을 고려하여 학습 그룹이나 쌍을 보다 효과적으로 구성할 수 있습니다.

**사회적 개입의 영향 평가:** SNA는 교육 결과를 개선하기 위해 설계된 사회적 개입의 영향을 평가하는 데 도움이 될 수 있습니다. 개입이 구현된 후 네트워크의 구조, 커뮤니케이션 패턴 또는 사회적 결속력의 변화를 조사함으로써, 연구자들은 개입의 효과와 필요한 추가 지원 또는 개발 영역을 식별할 수 있습니다.

**조직 리더 개발:** SNA(소셜 네트워크 분석, Social Network Analysis)는 리더십 교육 및 개발 분야에서 교육 기관을 지원하는 데 도움을 줄 수 있습니다. SNA는 관리자, 강사, 직원 간의 공식적이고 비공식적인 네트워크를 매핑하여 중요한 리

더, 의사소통 병목 현상 또는 협력 공백을 발견할 수 있습니다. 이 정보는 리더십 개발을 위한 활동 방향을 제공하고, 현명한 결정을 내리는 데 도움을 주며, 조직 구조를 구축하는 데 도움을 줄 수 있습니다.

**학생 참여 수준 평가:** 교육 네트워크 내에서 SNA를 사용하여 학생 참여 수준을 평가할 수 있습니다. 교육자는 학생 간의 상호작용, 참여 및 연결 패턴을 분석함으로써 학생 참여의 정도와 유형에 대한 통찰력을 얻을 수 있습니다. 이 정보는 교수 기법 개발, 참여하지 않거나 위험에 처한 학생 식별, 학생 동기 부여 및 참여 증진을 위한 개입 개발에 영향을 줄 수 있습니다.

**온라인 교육 커뮤니티에서 SNA 사용:** SNA는 토론 포럼이나 소셜 미디어 플랫폼과 같은 온라인 교육 커뮤니티에서 사용될 수 있으며, 이는 온라인 커뮤니티 내에서 지식이 어떻게 퍼지는지 더 잘 이해하는 데 도움을 줄 수 있습니다. 교육자는 이러한 디지털 네트워크 내에서 정보, 아이디어 또는 자원의 전달을 분석함으로써 지식 공유의 역학을 파악하고 주요 기여자나 주요 정보 소스를 식별할 수 있습니다. 이 통찰력은 온라인 학습 환경의 최적화와 정보의 효율적 전달 촉진에 기여할 수 있습니다.

**교육자 간의 전문 학습 네트워크 매핑 및 평가:** 이러한 학습 네트워크는 SNA를 사용하여 매핑될 수 있습니다. SNA는 교사, 관리자 및 교육 분야에서 일하는 기타 전문가들 사이의 관계와 파트너십을 분석함으로써 정보 교환, 전문 지식 공유 및 전문 개발 기회의 패턴을 보여줄 수 있습니다. 이 정보는 협업 프로젝트, 멘토링 프로그램 및 전문 학습 커뮤니티의 설계를 안내하는 데 사용될 수 있으며, 교수 방법과 전문 개발을 개선하는 데 도움이 될 수 있습니다.

**교육 커뮤니티 내 사회정서 학습(SEL, Social-Emotional Learning) 촉진 기여:** SNA는 교육 커뮤니티 내에서 사회정서 학습의 촉진에 기여할 잠재력을 가지고 있습니다. SNA는 커뮤니티 내에서 감정적 지원 제공자, 롤 모델 또는 멘토로 기능하는 개인이나 그룹을 식별함으로써 건강한 연결, 감정적 웰빙 및 사회적 역량을 장려하는 치료법 및 방법 설계 과정에 도움이 될 수 있는 지식을 제공할 수 있습니다.

**온라인 학습 환경에서의 행동 및 상호작용 분석:** SNA는 온라인 학습 행동을 연구하는 데 사용될 수 있으며, 커뮤니케이션, 협력 및 자원 공유의 패턴을 분석함으로써 성공적인 온라인 학습 기법에 대한 통찰력을 제공하고, 동료 학습의 가능성을 식별하며, 온라인 학습 개입 또는 플랫폼의 효과를 평가할 수 있습니다.

**동료 간 피드백 및 평가 증진:** SNA는 교육 맥락에서 동료 간 피드백 및 평가 과정에 영향을 줄 수 있는 잠재력을 가지고 있습니다. 교육자는 동료 네트워크와 커뮤니케이션 패턴을 분석함으로써 동료에게 관련 피드백과 지원을 제공할 수 있는 좋은 위치에 있는 학생들을 식별할 수 있습니다. 이 정보는 동료 평가에 관련된 활동 설계를 안내하고, 학생들이 건설적인 피드백을 제공하도록 장려하며, 학생들이 협력하고 서로

로부터 배우는 문화를 조성하는 데 사용될 수 있습니다.

**전문 협업 및 연구 파트너십 구축 촉진:** SNA는 학자와 교육자를 결합하여 전문 협업 및 연구 파트너십을 창출하는 과정을 촉진하는 역할을 할 수 있습니다. 관계 및 공통 관심사 영역을 매핑하는 과정을 통해, SNA는 가능한 협력자, 지식 교환 기회 및 연구 네트워크를 발견할 수 있습니다. 이 정보는 학문적 경계를 넘나드는 파트너십을 촉진하고, 연구 활동을 지원하며, 교육 커뮤니티 구성원 간의 지식 공유를 촉진하는 데 도움이 될 수 있습니다.

**학습 커뮤니티의 성과 고려:** SNA는 다양한 교육 프로그램 및 학습 커뮤니티의 성공 여부를 결정하는 데 유용한 도구입니다. 연구자는 이러한 커뮤니티 내의 사회 네트워크 구조와 역학을 분석함으로써 학습 결과, 참여 수준 및 전반적인 행복 수준에 대한 커뮤니티의 영향을 평가할 수 있습니다. 이 평가는 학습 커뮤니티의 설계와 활동 촉진에 대한 수정 사항을 안내하는 데 사용될 수 있습니다.

이 예시들은 교육 분야에서 소셜 네트워크 분석의 다양한 용도를 설명해 줍니다. 이러한 응용 프로그램은 교육 프로그램의 효과 분석, 전문 파트너십 개발 및 교실 활동에서 학생 참여 수준 측정에 이르기까지 다양합니다. 소셜 네트워크 분석은 사회적 유대, 협력 패턴 및 네트워크가 교육 경험의 다양한 측면에 미치는 영향에 대한 유용한 통찰력을 제공합니다.

## 6.2 교육 환경에서의 사회적 상호작용 및 관계 분석

학생, 교사, 학교 환경의 다른 구성원들 사이에 존재하는 역학을 검토하는 것은 학습 환경에서의 사회적 상호작용과 연결을 분석하는 과정에서 필수적인 단계입니다. 이 연구는 학생 참여 수준, 교실 관리, 전반적인 학습 결과와 같은 교육의 다양한 영역에 대한 유용한 통찰력을 제공할 수 있습니다. 학습 환경에서의 사회적 상호작용과 연결을 분석할 때 고려해야 할 몇 가지 중요한 요소는 다음과 같습니다:

학생들이 교실 내외에서 동료 및 다른 학생들과 어떻게 연결되는지 검토합니다. 학생들이 어떻게 사회화하며, 어떤 친구관계를 형성하고, 속한 그룹의 역학은 무엇인지, 이러한 관계가 학업 성공과 일반적인 웰빙에 어떤 영향을 미치는지 살펴봅니다.

**교사와 학생 간의 상호작용:** 교사와 학생 간의 관계 역학을 분석하는 것이 중요합니다. 교사가 제공하는 지원, 격려, 조언의 정도와 그들이 학생들과 건설적인 관계를 형성할 수 있는 능력을 평가합니다. 이러한 상호작용이 학생들의 동기 부여, 참여, 성취도에 어떤 영향을 미치는지 검토합니다.

교실의 일반적인 분위기와 사회적 환경을 조사합니다. 모두의 참여를 환영하고, 상호 존중, 협력, 건강한 사회적 기준을 촉진하는 것과 같은 요소를 고려합니다. 교실 분위기가 학생 행동, 참여, 학업 결과에 미치는 영향의 정도를 결정합니다.

**사회 네트워크:** 학생들의 사회 네트워크를 매핑하여 교육 환경 내의 관계와 영향력의 계층을 이해하는 것이 중요합니다. 친구 네트워크, 사회적 클릭, 동료 그룹 역학 분석을 통해 사회적 계층, 사회적 지원 시스템, 배제 또는 소외의 가능한 원인에 대한 통찰력을 얻어야 합니다.

학교 환경 내에서 발생하는 괴롭힘, 공격성, 갈등 사건을 조사합니다. 이러한 행동에 기여하는 요소와 학교의 사회적 구조에 미치는 영향을 파악하기 위해 연구를 수행합니다. 안전하고 지지적인 학습 환경을 조성하기 위한 예방 및 개입 방법을 탐색합니다.

문화적 및 다양성 요소를 고려할 때 교육 환경 내의 사회적 상호작용에 미치는 인종, 민족, 사회경제적 다양성의 영향을 고려합니다. 다양한 배경을 가진 학생들이 어떻게 상호 작용하고 협력하는지, 다양성이 포용적이고 공평한 사회적 상호작용을 발전시키는 과정에서 제시하는 도전과 기회를 평가합니다.

**가정-학교 연결:** 학생들의 가족과 학교 커뮤니티 사이의 연결을 조사합니다. 학생들의 사회적 관계와 학업 진행에 학생 가족의 참여와 지원이 어떤 영향을 미치는지 조사합니다. 학교와 학생 가족 간의 의사소통과 조정을 개선하여 교육 환경을 더 통합적이고 지지적으로 만드는 방법을 고려합니다.

**데이터 수집 방법:** 사회적 상호작용과 관계에 대한 정량적 및 정성적 데이터를 수집하기 위해 설문조사, 관찰, 인터뷰, 사회 네트워크 연결 분석 등 다양한 데이터 수집 기법을 사용해야 합니다. 다양한 소스에서 얻은 데이터를 삼각 측량하여 역학을 전체적으로 이해해야 합니다.

기술이 교육 경험 내에서 학생들의 대인 관계에 미친 영향을 평가합니다. 디지털 기술, 소셜 미디어, 온라인 플랫폼 사용이 학생 간 및 학생과 교사 간의 커뮤니케이션, 협력, 관계에 어떤 영향을 미치는지 조사합니다. 기술 매개 관계에 따른 잠재적 이점과 가능한 문제점을 탐색합니다.

**교사 간 상호작용:** 기관 내 교사들 사이의 연결 및 교환 역학에 대한 연구를 수행합니다. 협력을 촉진하는 방법을 조사하고, 전문 개발 기회를 탐색하며, 교사 간 지지 네트워크를 구축합니다. 교사 간의 관계가 즐거운 근무 환경을 조성하고 학교의 전반적인 성과에 기여하는 방식을 검토합니다.

교육 맥락에서의 사회적 상호작용과 관계를 고려할 때 플레이하는 권력 역학을 염두에 두십시오. 사회적 지위, 권위 수준 및 기타 계층 형태가 학생-교사 상호작용, 동료 관계 및 의사 결정 과정에 미치는 영향을 조사합니다. 권력 불균형이 학생 참여, 참여 및 일반적인 사회적 역학에 어떤 영향을 미치는지 탐색합니다.

교육 기관 내에서 사회 및 감정 학습 프로그램 및 활동의 통합을 조사합니다. 이러한 프로그램이 중요한 사회 기술, 감정 지능, 공감 및 학생 간의 긍정적인 상호작용 개발을 촉진하는 정도를 분석합니다. SEL 개입이 개인의 대인 관계 및 전반적인 웰빙을 향상시키는 데 얼마나 효과적인지 결정합니다.

연구의 일환으로 다양한 교실 관리 스타일이 학생들의 사회적 접촉 기회에 미치는 영향을 평가합니다. 맞춤형 교육, 협력 학습, 그룹 프로젝트와 같은 교수법 및 행동 관리 전략을 조사합니다. 이러한 전략 사용이 학생 참여, 커뮤니케이션 및 교실 내 관계 발전에 어떤 영향을 미치는지 분석합니다.

**교사와 학부모 간의 관계:** 교사와 학부모 사이에 존재하는 관계의 역학을 살펴봅니다. 다양한 의사소통 경로, 학부모 참여 수준, 그리고 교사가 학부모와 협력적 노력에 성공적으로 참여하는 정도를 조사합니다. 교사와 학부모 간의 건강한 연결이 학생들의 학문적 및 사회적 성장에 기여하는 방식을 검토합니다. 사회적 연결과 상호작용의 발전을 장기간 모니터링하기 위해 종단 연구를 수행할 가능성을 고려합니다. 이 방법을 통해 교육 환경 내에서 발생하는 사회적 역학에 대한 다양한 영향의 패턴, 변화 및 장기적 효과를 결정할 수 있습니다.

이러한 분석에서는 다양한 교육 환경이나 상황에서 발생하는 사회적 상호작용과 연결을 비교합니다. 학교의 크기, 위치, 학생 인구의 인구 통계, 사용된 교수법과 같은 요소들이 사회적 역학과 관계 패턴에 어떤 영향을 미치는지 검토합니다. 이 비교적 접근법은 결과의 일반화 가능성과 맥락적 변수의 영향에 대한 유익한 통찰력을 제공할 잠재력을 가지고 있습니다.

교육 환경의 전체 사회적 및 감정적 환경 평가는 사회적 및 감정적 기후 평가의 일부입니다. 학생들과 교사들의 감정적 건강과 웰빙, 포함하여 공감, 존중, 서로에 대한 신뢰 등의 측면을 조사합니다. 긍정적인 사회-감정적 환경이 긍정적인 관계와 건강한 사회적 상호작용의 발달에 어떻게 도움이 되는지 분석합니다.

**그룹 역학:** 교육 환경의 맥락에서 소그룹이나 팀 내에 존재하는 역학을 분석합니다. 그룹 구성, 내부 위치, 그리고 그 구성원 간의 의사소통 패턴이 사회적 상호작용과 협력적 학습

에 어떻게 영향을 미치는지 조사합니다. 성공적인 그룹 역학이 학생 참여, 문제 해결 능력, 그리고 함께 결정을 내리는 과정에 어떻게 영향을 미치는지 고려합니다.

**포괄적인 실천:** 교육의 맥락에서 포괄적인 사회적 상호작용과 관계가 얼마나 중요한지 조사합니다. 학생들의 정체성, 재능, 그리고 출신이 다양한 정도에 포함되고 존중받는 정도를 결정하기 위해 분석을 수행합니다. 포괄적인 실천의 구현이 사회적 결속력, 공감의 발달, 그리고 학생들 사이의 좋은 연결 형성에 어떤 영향을 미치는지 분석합니다.

일반적인 학교 분위기와 그것이 학생들이 서로 사회적으로 교류하는 능력에 미치는 영향을 평가합니다. 좋은 가치와 기준의 촉진, 안전 및 징계 조치에 관한 규정과 같은 것들을 고려합니다. 학교에서 지지적인 환경이 어떻게 아이들이 서로 강한 연결을 개발하고 그곳에 속해 있다고 느끼게 하는지 검토합니다.

**의사소통 패턴:** 학문적 환경에서 발생하는 다양한 의사소통 패턴에 대한 조사를 수행합니다. 학생들, 교사들, 그리고 관리자들이 서로 얼마나 잘 의사소통할 수 있는지 결정하기 위해 분석을 수행합니다. 건강한 사회적 상호작용과 관계를 촉진하기 위해 주의 깊은 경청, 지시사항을 주의 깊게 따르기, 격려하는 코멘트를 제공하는 것의 필요성을 고려합니다.

**사회 기술의 발달에 대한 연구:** 교육 환경의 맥락에서 학생들 사이의 사회 기술 발달에 대한 연구를 수행합니다. 사회 기술의 명시적 교육과 학생들이 서로 상호작용할 기회가 학생들이 건강한 연결을 형성하고 유지하는 능력에 어떤 영향을 미치는지 분석합니다. 공감, 좋은 의사소통 기술, 갈등 해결 능력, 사회적 상황에서의 협력의 중요성을 고려합니다.

교육 기관의 맥락에서 발생하는 사회적 연결과 상호작용에 대한 동료의 영향을 검토합니다. 학생들이 동급생과의 상호작용이 그들의 태도, 행동, 그리고 학문적 성과에 어떤 영향을 미치는지 조사합니다. 긍정적인 동료 영향, 사회적 지원 네트워크, 그리고 동료의 개입을 통한 나쁜 행동의 예방에 대한 연구를 수행합니다.

교육 환경의 맥락에서 발생하는 사회적 상호작용에서 성 역학의 역할을 검토합니다. 남학생과 여학생이 서로 다르게 의사소통하고, 친구를 사귀며, 서로에 대해 다른 사회적 기대를 가지고 있는지 여부를 조사합니다. 성별 규범과 스테레오타입이 사회적 상호작용과 사람들 간의 연결에 어떤 영향을 미치는지 검토합니다.

**개입 기법:** 교육 환경 내에서 사회적 상호작용과 관계를 향상시키기 위한 목표로 개입 기법을 식별하고 평가합니다. 사회 및 감정 기술을 가르치는 프로그램, 갈등 해결 방법, 복원적 실천에 대한 프로그램의 가용성을 조사합니다. 이러한 개입이 교육 경험의 전반적인 질을 향상시키고 건강한 사회적 역학을 촉진하는 데 얼마나 성공적인지 결정합니다.

학교 환경 내에서 사회적 지원 서비스의 가용성과 그 효율성을 조사합니다. 상담 서비스, 멘토링 프로그램, 동료 지원 그룹을 포함한 다양한 지원 옵션의 평가를 수행합니다. 이러한 지원 네트워크가 학생들의 전반적인 건강과 서로 간의 관계 질에 어떤 기여를 하는지 결정합니다.

**문화적 역량:** 교육자들 사이의 문화적 역량의 정도와 그 수준이 사람들 간의 상호작용 방식에 미치는 영향을 연구합니다. 교육자들이 학생들의 다양한 문화적, 종교적, 민족적 배경에 대한 지식이 그들과의 관계에 어떤 영향을 미치는지 분석합니다. 문화적 역량이 포괄적이고 배려 깊은 대인 관계의 발달에 어떤 역할을 할 수 있는지 고려합니다.

**학생의 목소리와 참여:** 교육 결정 과정에서 학생의 목소리와 참여 가능성을 조사합니다. 학생 참여가 교실 규칙, 교과 선택, 학교 규정의 형성에 미치는 영향과 학생들의 소유감 및 사회적 상호작용과 관계에서의 참여 수준에 대해 분석합니다.

교육 환경의 맥락에서 발생하는 사회적 배제, 소외, 편견의 구체적 예를 검토합니다. 이러한 역학에 기여하는 요소와 학생들의 웰빙 및 서로 간의 관계에 미치는 영향을 조사합니다. 사회적 배제와 그 영향을 방지하고 포괄성을 촉진하기 위한 계획을 수립하고, 사회적 배제와 그 결과를 해결합니다.

**협력과 팀워크를 장려하는 학습 공간:** 교육 환경이 협력적 학습 환경의 발달을 촉진하는 정도를 분석합니다. 협력 프로젝트, 그룹 활동, 협동 학습 실천의 결과로 학생들의 사회적 연결과 관계가 서로에게 미치는 영향을 분석합니다. 함께 일하는 것이 정보 교환, 비판적 사고의 발달, 사회적 기술의 성장을 촉진하는 방법을 검토합니다.

**학부모와 학생 간의 상호작용:** 교육 맥락에서 학부모와 자녀들 사이에 발전하는 관계의 역학을 조사하는 것이 중요합니다. 학부모의 참여와 자녀의 교육 과정에 대한 참여 수준이 학생의 사회적 상호작용과 관계에 어떤 영향을 미치는지 알아봅니다. 학생들과 그들의 부모 사이의 좋은 연결을 촉진하는 다양한 전략이 얼마나 성공적인지 분석합니다.

**분쟁 해결 및 중재 과정 검토:** 교육 환경 내에 분쟁 해결 및 중재 절차가 있는지 여부를 조사합니다. 이러한 방법이 분쟁을 해결하고 건강한 사회적 연결을 촉진하는 데 얼마나 성공적인지 분석합니다. 갈등을 해결할 때 의사소통, 공감, 문제 해결 능력의 중요성을 고려합니다.

**사회적 및 감정적 역량 평가:** 학생들이 여러 가지 사회적 및 감정적 평가를 완료하여 그들의 사회적 역량, 감정적 웰빙, 관계 기술에 대한 정보를 수집합니다. 평가 결과를 사용하여 강점과 성장이 필요한 영역을 식별합니다. 이를 통해 학생들을 위한 대상별 개입과 지원을 생성할 수 있습니다.

학생 전환의 영향을 고려합니다. 예컨대, 새로운 학교로 이동하거나 다음 학년으로 진급하는 것과 같은 학생 전환의 예를 들 수 있습니다. 이러한 변화가 학생들의 사회적 상호작용과 관계에 어떤 영향을 미치는지 조사하고, 이러한 전환을 겪는 학생들을 돕기 위한 방법을 모색합니다.

연구자, 교육자, 관리자는 위에서 논의된 추가 요소를 고려하여 교육 환경 내에서 발생하는 사회적 상호작용과 연결에 대한 전체적인 검토를 수행할 수 있습니다. 이 접근 방식은 긍정적인 사회적 역학을 지원하고 학생의 웰빙과 학문적 성과를 증가시키는 사랑과 포괄적인 학습 환경을 구축하기 위한 근거 기반 개입, 정책, 실천을 주도할 수 있습니다. 구체적으로, 이 환경의 목표는 긍정적인 사회적 역학을 지원하고 학생의 웰빙과 학문적 성과를 증가시키는 사랑과 포괄적인 학습 환경을 구축하는 것입니다. 이러한 환경은 모든 학생들이 자신의 정체성을 인정받고, 서로를 존중하며, 다양성을 가치 있게 여기는 문화 속에서 성장할 수 있도록 합니다. 이를 위해, 교육 커뮤니티 내에서 각 개인의 사회적 및 감정적 필요를 충족시키는 데 중점을 두어야 합니다.

이 목표를 달성하기 위해, 교육자들은 학생들이 서로 긍정적인 관계를 형성하고, 갈등을 건설적으로 해결하며, 포괄적인

313

학습 공동체의 일원으로서 자신의 역할을 인식할 수 있도록 지원해야 합니다. 이를 위해서는 다음과 같은 전략이 필요합니다.

**사회적 기술 교육:** 학생들에게 공감, 의사소통, 갈등 해결 등의 사회적 기술을 가르치는 프로그램을 제공하여, 그들이 건강한 대인 관계를 형성하고 유지할 수 있도록 합니다.

**포괄적인 실천 채택:** 모든 학생들이 존중받고 포함되는 환경을 조성하기 위해 다양성과 포괄성을 강조하는 교육 실천을 채택합니다. 이는 다양한 배경과 경험을 가진 학생들이 서로의 차이를 이해하고 존중할 수 있는 기반을 마련합니다.

**학생 참여 증진:** 학생들이 교육 과정, 교실 규칙 설정, 학교 정책 결정 과정에 참여할 수 있도록 장려하여, 그들의 소속감과 참여도를 높입니다. 학생들의 목소리를 존중하고 그들의 의견을 중요한 결정에 반영함으로써, 학생들은 자신이 교육 공동체의 중요한 구성원임을 느낄 수 있습니다.

**건강한 학교 문화 조성:** 긍정적인 가치와 기준을 촉진하고, 학교 안팎에서 안전하고 지지적인 환경을 유지합니다. 이는 학생들이 서로를 지지하고, 서로에 대해 긍정적인 관계를 형성하는 데 필수적입니다.

**갈등 해결 및 중재 프로그램:** 학생들이 갈등을 건설적으로 해결할 수 있도록 지원하는 프로그램과 절차를 마련합니다. 이를 통해 학생들은 갈등 상황에서도 존중과 이해를 바탕으로 문제를 해결할 수 있는 기술을 배울 수 있습니다.

**문화적 역량 강화:** 교육자들이 학생들의 다양한 문화적, 종교적, 민족적 배경을 이해하고 존중할 수 있도록 교육하며, 이를 통해 모든 학생들이 자신의 정체성을 자유롭게 표현하고 존중받을 수 있는 환경을 조성합니다.

이러한 전략들을 통해, 교육 환경은 학생들이 사회적 기술을 발달시키고, 서로를 존중하며, 다양성을 포용하는 긍정적인 사회적 역학을 지원하는 포괄적이고 지지적인 공간이 될 수 있습니다. 이는 궁극적으로 학생들의 웰빙과 학문적 성과를 향상시키는 데 기여할 것입니다.

## 6.3 교육 데이터 마이닝에서의 네트워크 측정과 보안 메트릭스

컴퓨터 또는 통신 네트워크의 성능, 효율성 및 신뢰성을 연구하고 평가하는 데 사용되는 다양한 정량적 및 정성적 특성을 네트워크 메트릭스 및 측정이라고 합니다. 이 지표들은 네트워크의 용량, 일반적인 건강 상태 및 행동을 포함한 네트워크 운영에 대한 통찰력을 제공합니다. 다음은 네트워크에 대해 자주 사용되는 몇 가지 메트릭스 및 측정입니다:

**대역폭(Bandwidth):** 네트워크가 처리할 수 있는 최대 데이터 전송 속도를 측정합니다. 보통 초당 비트(bps) 또는 그 배수인 킬로비트(Kbps) 또는 메가비트(Mbps) 단위로 표시됩니다.

**지연시간(Latency):** 데이터 전송이 시작되고 실제로 목적지에서 데이터를 받기까지의 시간 지연을 말합니다. 대부분 밀리초(ms) 단위로 측정되며, 데이터 패킷이 출발지에서 최종 목적지까지 이동하는 데 걸리는 시간을 나타냅니다.

**패킷 손실(Packet Loss):** 전송 중에 데이터 패킷이 손실되거나 삭제되는 비율을 말합니다. 네트워크 혼잡, 결함 또는 하드웨어 문제로 인해 발생할 수 있습니다. 일반적으로 백분율로 표시되며, 네트워크의 신뢰성과 전반적인 품질을 나타냅니다.

**지터(Jitter):** 패킷이 목적지에 도달하는 데 걸리는 시간의 변동을 말합니다. 네트워크 지연의 불규칙성 또는 일관성 없음을 나타냅니다. 지터가 있는 경우, VoIP(음성 인터넷 프로토콜) 또는 비디오 회의와 같은 실시간 애플리케이션이 문제를 겪을 수 있습니다.

**처리량(Throughput):** 특정 시간 동안 네트워크를 통해 전송될 수 있는 데이터의 양을 말하며, 초당 비트(bps) 단위로 측정됩니다. 네트워크가 실제로 달성할 수 있는 데이터 전송 속도를 나타냅니다.

**네트워크 활용도(Network Utilization):** 특정 시점에서 사용 가능한 네트워크 용량의 얼마나 많은 부분이 사용되고 있는지를 나타냅니다. 백분율로 표시되며, 네트워크의 부하와 효율성을 나타냅니다.

**에러율(Error Rate):** 네트워크를 통한 데이터 전송 중에 발생하는 에러 또는 형식이 잘못된 데이터 패킷의 빈도를 측정합니다. 네트워크의 신뢰성과 품질을 나타내는 지표로, 비율 또는 백분율 형태로 제시됩니다.

**가용성(Availability):** 네트워크가 기능적이고 접근 가능한 시간의 비율을 말하며, 백분율로 표시됩니다. 네트워크의 신뢰성과 가동 시간을 반영합니다.

**네트워크 보안 메트릭스(Network Security Metrics):** 네트워크에 적용된 보안 메커니즘의 효율성과 견고성을 평가합니다. 보안 침해, 시도된 침입, 취약성 스캔 및 기타 보안 관련 사건의 수를 포함합니다.

RTT(Round-Trip Time): 데이터 패킷이 출발지에서 목적지로 가고 다시 출발지로 돌아오는 데 걸리는 시간을 말합니다. 네트워크의 응답성과 지연을 측정하는 데 종종 사용됩니다.

네트워크 혼잡(Network Congestion): 네트워크 자원에 대한 수요가 네트워크의 용량을 초과할 때 발생하는 상황으로, 성능 저하로 이어집니다. 혼잡 윈도우 크기, 큐잉 지연, 패킷 손실률과 같은 메트릭스를 통해 네트워크 혼잡을 평가하고 관리할 수 있습니다.

서비스 품질(Quality of Service, QoS): 네트워크가 저지연 또는 고대역폭과 같이 특정 요구 사항을 가진 트래픽 유형에 우선 순위를 부여하고 제공할 수 있는 능력을 말합니다. QoS 메트릭스는 네트워크가 다양한 유형의 트래픽에 대해 일관되고 신뢰할 수 있는 성능을 제공할 수 있는지를 평가합니다.

**평균 의견 점수(Mean Opinion Score, MOS):** 주로 VoIP (음성 인터넷 프로토콜) 시스템에서 네트워크의 오디오 또는 비디오 통신 품질을 평가하는 데 사용되는 측정치입니다. 1에서 5까지의 척도로 평가되며, 높은 점수는 더 높은 품질을 나타냅니다.

**네트워크 가용성(Network Availability):** 네트워크가 정상적으로 작동하고 일정 기간 동안 사용 가능한 상태를 유지할 수 있는 능력을 말합니다. 가용성 메트릭스는 네트워크의 오프라인 및 온라인 시간을 고려하여 계산되며, 네트워크의 신뢰성을 나타냅니다.

**평균 수리 시간(Mean Time to Repair, MTTR):** 네트워크 서비스가 고장이나 중단 후 다시 온라인 상태가 되는 데 걸리는 평균 시간을 측정합니다. 네트워크의 신뢰성과 유지보수 프로세스의 효율성을 나타냅니다.

**네트워크 확장성(Network Scalability):** 네트워크가 트래픽, 사용자 또는 자원의 증가량을 처리할 수 있는 능력을 말하며, 성능 저하 없이 확장 가능함을 의미합니다. 확장성 메트릭스는 네트워크가 사용자 및 트래픽 증가를 얼마나 잘 처리할 수 있는지를 평가합니다.

**네트워크 탄력성(Network Resilience):** 네트워크가 장애나 중단으로부터 빠르게 회복하고 서비스를 중단 없이 계속 제공할 수 있는 능력을 말합니다. 네트워크의 결함 허용, 중복성 및 복구 전략을 평가하는 데 사용됩니다.

**네트워크 모니터링(Network Monitoring):** 다양한 네트워크 모니터링 도구 및 절차의 성공 및 효율성을 평가하는 메트릭스입니다. 모니터링되는 장치의 수, 모니터링 데이터의 품질, 발견된 문제에 대한 반응 시간 등을 포함합니다.

**서비스 수준 계약(Service Level Agreement, SLA) 메트릭스:** 서비스 제공자가 제공하는 네트워크 서비스의 성능을 평가하고 모니터링하는 데 사용됩니다. 업타임, 응답 시간, 서비스 가용성과 같은 매개변수를 포함하여 사전에 정의된 서비스 수준 목표와 비교하여 측정됩니다.

네트워크 비용(Network Cost): 네트워크 운영 및 유지 관리 비용을 측정하는 메트릭스입니다. 총 소유 비용(Total Cost of Ownership, TCO), 투자 수익률(Return on Investment, ROI), 데이터 전송 단위 비용 등을 포함합니다.

평균 고장 간 시간(Mean Time Between Failures, MTBF): 네트워크 연결이 끊어지기 전에 경과하는 평균 시간을 측정합니다. 네트워크 인프라의 신뢰성 및 안정성을 평가하는 데 도움이 됩니다.

평균 탐지 시간(Mean Time to Detect, MTTD): 네트워크에서 문제나 이상을 탐지하는 데 걸리는 평균 시간을 측정합니다. 네트워크 모니터링 및 탐지 기술이 문제를 신속하게 식별하는 데 얼마나 효과적인지를 평가하는 데 도움이 됩니다.

**평균 대응 시간(Mean Time to Respond, MTTR)**: 문제가 식별된 후 네트워크 문제를 해결하는 데 걸리는 평균 시간을 측정합니다. 사건 대응 및 문제 해결 절차의 효율성과 효과를 평가하는 데 사용됩니다.

**서비스 수준 목표(Service Level Objective, SLO)**: 특정 네트워크 서비스에 대해 정의된 측정 가능한 목표로, 사용자나 고객의 기대를 충족하기 위해 성능이 설정된 기준을 만족해야 합니다. SLO 메트릭스는 설정된 목표에 비해 실제 성능을 모니터링하고 추적하는 데 유용합니다.

**평균 고장 시간(Mean Time to Failure, MTTF)**: 네트워크 구성요소나 장치가 실패하기 전까지의 평균 시간을 측정합니다. 개별 네트워크 구성요소의 신뢰성을 평가하고 전체 네트워크의 가동 시간에 기여하는 방식을 이해하는 데 도움이 됩니다.

**평균 복구 시간(Mean Time to Recovery, MTTR):** 네트워크 서비스가 중단된 후 다시 온라인 상태가 되는 데 걸리는 평균 시간을 측정합니다. 복구 절차의 효과와 네트워크 가용성에 미치는 영향을 평가합니다.

**평균 완화 시간(Mean Time to Mitigate, MTTM):** 네트워크 보안 사건이나 위협의 영향을 제거하거나 최소화하는 데 걸리는 평균 시간을 측정합니다. 보안 대응 메커니즘의 효과와 잠재적 피해를 줄일 수 있는 능력을 평가합니다.

**평균 무고 시간(Mean Time to Innocence, MTTI):** 네트워크 문제가 특정 구성요소나 시스템의 문제가 아님을 밝혀내는 데 걸리는 평균 시간을 의미합니다. 문제 해결을 용이하게 하고 불필요한 조사를 줄이는 데 도움이 됩니다.

**평균 조사 시간(Mean Time to Investigate, MTTI):** 네트워크 문제나 사건의 근본 원인을 조사하고 식별하는 데 걸리는 평균 시간을 측정합니다. 문제 분석 및 진단 절차의 효과를 평가하는 데 도움이 됩니다.

**평균 보호 시간(Mean Time to Protection, MTTP)**: 알려진 취약점이나 위협으로부터 네트워크를 보호하기 위한 보안 패치나 조치를 개발하거나 배포하는 데 걸리는 평균 시간을 측정합니다. 발전하는 위협에 대한 대응 속도를 평가합니다.

**네트워크 커버리지(Network Coverage)**: 네트워크가 서비스를 제공하는 지리적 범위나 영역을 의미합니다. 특히 무선 네트워크, 셀룰러 네트워크, Wi-Fi 네트워크, 위성 네트워크 등에 적용됩니다. 커버리지 메트릭스는 네트워크의 도달 범위와 다양한 지역에서의 신호 강도를 평가합니다.

**평균 업그레이드 시간(Mean Time to Upgrade, MTTU)**: 네트워크 하드웨어, 소프트웨어, 또는 펌웨어를 업그레이드하거나 업데이트하는 데 걸리는 평균 시간을 측정합니다. 업데이트 절차의 효과와 네트워크 성능 및 보안에 미치는 영향을 평가합니다.

**평균 프로비저닝 시간(Mean Time to Provision, MTTP):** 새 사용자, 장치, 또는 애플리케이션에 대한 네트워크 서비스를 프로비저닝하거나 활성화하는 데 걸리는 평균 시간을 측정합니다. 서비스 제공 절차의 효율성과 네트워크 자원이 얼마나 신속하게 사용 가능해지는지를 분석합니다.

이러한 네트워크 메트릭스와 측정은 네트워크의 다양한 측면을 평가하고 이해하는 데 중요하게 사용됩니다.

## 6.4. 교육 분야에서의 사회 네트워크 분석(Social Network Analysis, SNA) 활용

사회 네트워크 분석(SNA)은 교육 분야를 포함한 여러 분야에서 활용 가능한 강력한 기술로, 학생, 교사, 관리자 등 교육이해관계자 간의 연결고리와 교류를 조사하는 데 초점을 맞춥니다. 교육 분야에서 사회 네트워크 분석의 몇 가지 활용사례는 다음과 같습니다.

**중요 인물 및 그들의 역할 식별:** SNA는 특정 교육 환경 내에서 중요 인물을 찾는 데 도움이 될 수 있습니다. 연구자들은 학생과 교수 간의 연결고리와 상호작용을 연구함으로써네트워크에서 중심적인 위치를 차지하는 사람들을 발견할 수있습니다. 이러한 주요 인물은 정보의 전파, 태도 형성, 협력촉진에 중요한 역할을 할 수 있습니다.

**협업 및 지식 공유 패턴:** SNA는 교실 내부나 더 넓은 교육커뮤니티 내에서 협업과 지식 공유 패턴에 대한 통찰력을 제공할 수 있습니다. 연구자들은 사람들 간의 상호작용을 매핑함으로써 자주 소통하고 아이디어를 공유하는 학생이나 교사의 클러스터를 찾을 수 있습니다. 이러한 이해는 협력을 증진하고 정보 및 자원 공유를 용이하게 하는 노력을 안내하는데 도움이 될 수 있습니다.

**교육 네트워크 내 정보 전파 방식 조사:** SNA를 사용하여 교육 네트워크 내에서 정보가 어떻게 전파되는지 조사할 수 있습니다. 연구자들은 조직 전체의 정보 흐름을 측정함으로써 의사소통의 실패, 병목 현상, 정보 허브를 식별할 수 있습니다. 이 연구는 지식 공유 플랫폼의 개발이나 집중된 커뮤니케이션 전략과 같은 정보 배포를 증진하는 활동을 안내하는 데 사용될 수 있습니다.

**학습 커뮤니티 식별:** SNA는 교육 맥락에서 비공식 학습 커뮤니티의 존재를 파악하는 데 도움이 될 수 있습니다. 연구자들은 상호작용 패턴을 평가함으로써 학습 활동에 자주 협력하고 참여하는 학생이나 교사 그룹을 식별할 수 있습니다. 이

러한 학습 커뮤니티의 이해는 동료 학습을 장려하고 효과적인 학습 환경을 구축하는 교육 전략을 개발하는 데 도움이 될 수 있습니다.

**학생 성과 예측**: SNA는 학업 성취나 학생 유지와 같은 학생 성과를 예측하는 데 적용될 수 있습니다. 연구자들은 학생 간의 사회적 연결고리뿐만 아니라 정보 흐름과 협력 패턴을 분석함으로써 긍정적 결과와 관련된 신호를 찾을 수 있습니다. 이 정보는 학업 실패 위험이 있는 학생을 식별하고 그들의 학업 성장을 촉진하기 위해 맞춤형 개입을 설계하는 데 사용될 수 있습니다.

**교육 프로그램의 효과 평가**: SNA는 교육 프로그램의 효과를 평가하는 데 사용될 수 있습니다. 연구자들은 개입 전후의 사회 네트워크 구조를 비교함으로써 개입이 협력 패턴, 정보 흐름 및 네트워크 역학에 미친 영향을 평가할 수 있습니다. 이 연구는 다양한 교육 전략의 효과에 대한 유용한 통찰력을 제공하고 향후 개입에 대한 의사 결정을 안내할 수 있습니다.

**사회 규범과 또래의 영향 분석:** 사회 네트워크 분석을 통해 학생들의 사회적 상호작용과 학업 성과에 또래가 어떤 영향을 미치는지 파악할 수 있습니다. 연구자들은 학생들 간의 연결고리와 상호작용을 조사함으로써 네트워크 내에서 태도, 행동, 학업 습관이 어떻게 확산되는지 발견할 수 있습니다. 이러한 이해는 긍정적인 행동과 학업 참여를 장려하는 전략을 개발하는 데 활용될 수 있습니다.

**교사의 전문 개발 지원:** 사회 네트워크 분석은 교사의 전문 개발 노력을 지원하는 데 사용될 수 있습니다. 학교나 지역 내에서 교사들과 정보 흐름 사이의 연결을 조사함으로써, 중요한 영향력자, 의견 리더, 지식 중개자를 식별할 수 있습니다. 이 정보는 교사 간의 지식과 협력을 활용하는 전문 개발 프로그램 설계에 도움이 될 수 있습니다.

**적응형 학습 시스템 개발 지원:** 적응형 학습 시스템은 데이터 분석을 통해 각 학습자에게 맞춤화된 학습 경험을 제공하고 개선합니다. 사회 네트워크 데이터를 통합함으로써, 사회 네트워크 분석은 이러한 시스템에 기여할 수 있습니다. 학생들 사이의 연결고리와 상호작용을 고려함으로써, 적응형 시스템은 학생들에게 맞춤형 권장 사항을 제공하고 협력 활동을 위해 학생들을 짝지을 수 있으며 잠재적인 학습 격차나 동료 교습 기회를 식별할 수 있습니다.

**사회 통합 및 포용성 증진:** 사회 네트워크 분석을 통해 교육 커뮤니티 내에서 고립되거나 배제된 학생들을 식별할 수 있습니다. 학생들 사이의 사회적 관계를 매핑하고 네트워크의 주변에 위치한 학생들을 식별함으로써, 교육자들은 사회 통합과 포용성을 증진하기 위한 적극적인 조치를 취할 수 있습니다. 이는 연결 구축, 동료 지원 촉진 또는 맞춤형 개입을 통해 사회적 고립을 줄이는 것을 목표로 할 수 있습니다.

**온라인 학습의 지식 확산 이해:** 온라인 학습 플랫폼과 가상 커뮤니티의 확산으로, 사회 네트워크 분석은 온라인 교육 환경에서 정보가 어떻게 전파되는지 이해하는 데 사용될 수 있습니다. 상호작용, 지식 공유, 온라인 커뮤니티 구축을 분석함으로써, 연구자들은 온라인 코스와 플랫폼을 최적화하여 교육 기회의 효과를 극대화하는 데 도움이 되는 정보를 얻을 수 있습니다.

**교육 기관 내 리더십 네트워크와 협력 네트워크 탐색:** 사회 네트워크 분석을 통해 교육 기관 내 다양한 리더십 구조와 협력 네트워크를 조명할 수 있습니다. 교육 리더들 사이의 연결을 분석함으로써, 공식적이고 비공식적인 리더십 위치, 협력 패턴을 발견할 수 있습니다. 이러한 이해는 의사 결정 과정, 자원 배분, 효과적인 리더십 전략 개발을 안내하는 데 도움이 될 수 있습니다.

## 6.5. 요약

최근 교육 분야에서 데이터 분석의 중요성이 점점 더 커지고 있습니다. 특히, 사회 네트워크 분석(Social Network Analysis, SNA)과 순차 패턴 마이닝(Sequential Pattern Mining) 같은 기법은 교육적 상호작용과 학습 패턴의 이해를 깊게 하여, 교육 과정의 개선과 학생들의 학습 경험을 풍부하게 하는 데 크게 기여하고 있습니다. 이러한 분석 방법들은 학생들 사이의 사회적 연결고리, 정보의 흐름, 그리고 학습 커뮤니티 내의 동적 상호작용을 탐색함으로써, 교육자들이 보다 효과적인 교육 전략을 수립할 수 있도록 지원합니다.

사회 네트워크 분석을 통해 교육자들은 학습 커뮤니티 내에서 중요한 역할을 하는 인물들을 식별할 수 있으며, 이는 정보의 효율적인 전파와 협력적 학습 환경 조성에 필수적입니다. 또한, 이 기법은 학생들의 사회적 통합과 포용성을 증진시키는 데에도 중요한 역할을 하며, 교육 과정에서 소외되거나 고립된 학생들을 발견하고 이들을 지원하는 데 필요한 정보를 제공합니다. 이를 통해 교육 기관은 모든 학생들이 교육 과정에 적극적으로 참여하고, 서로 지지하며 성장할 수 있는 환경을 조성할 수 있습니다.

순차 패턴 마이닝은 학습 데이터에서 반복되는 패턴을 발견하여, 학생들의 학습 경로와 행동 패턴을 이해하는 데 유용합니다. 이를 통해 교육자들은 학생들의 학습 성공에 기여하는 요소를 파악하고, 필요한 교육적 개입을 식별하여 맞춤형 학습 경험을 제공할 수 있습니다. 또한, 이 기법은 교육 과정의 설계와 개선, 학습 자료의 효과적인 제공 방법 등을 결정하는 데 있어 중요한 통찰력을 제공합니다.

이처럼, 사회 네트워크 분석과 순차 패턴 마이닝은 교육 분야에서 데이터 기반 의사 결정을 지원하는 강력한 도구입니다. 이러한 분석 기법들을 활용함으로써, 교육 기관은 학생들의 학습 과정을 깊이 있게 이해하고, 학습 성과를 극대화할 수 있는 전략을 개발할 수 있습니다. 더 나아가, 이 기법들은 교육 과정의 지속적인 개선과 학생들의 전반적인 교육 경험 향상에 기여할 것입니다.

7장. 맺음말

지금까지 여러분들은 이 책을 통해 교육 데이터 마이닝 (EDM)의 광범위한 세계를 탐험하면서, 우리는 데이터가 교육의 모든 측면에서 어떻게 중요한 역할을 할 수 있는지를 보여주었습니다. EDM은 단순히 데이터를 수집하고 분석하는 기술을 넘어서, 교육자와 학생들에게 실질적인 가치를 제공하는 통찰력을 도출해내는 과정입니다. 이 책을 통해 제시된 다양한 사례와 개념은 교육 과정을 개선하고 학습 경험을 풍부하게 하는 데 있어 EDM의 잠재력을 분명히 보여줍니다.

교육 분야의 이해관계자들은 EDM을 통해 학생들의 학습 패턴을 더 잘 이해하고, 개인화된 학습 경로를 제공하며, 교육 정책과 실천을 근거 기반으로 개선할 수 있습니다. 이는 교육 과정에서 발생하는 복잡한 문제들을 해결하고, 학생들의 학습 성과를 최적화하는 데 필수적인 도구입니다.

이 책을 마무리하며, 독자 여러분께 강조하고 싶은 것은 EDM이 단지 기술적 도구에 불과하지 않다는 점입니다. 이는 교육을 변화시키고 학생들의 미래를 형성하는 데 있어 강력한 영향력을 가진 철학적 접근 방식입니다. 데이터를 통해 우리는 학습 과정을 더 깊이 이해하고, 교육의 질을 향상시키며, 모든 학생에게 공정하고 포괄적인 교육 기회를 제공할 수 있을 것입니다.

이 책이 제공하는 통찰력과 지식을 활용하여, 교육자, 연구자, 정책 입안자 여러분이 교육 분야에서 혁신적인 변화를 주도하고, 학생들에게 더 나은 학습 경험을 제공하는 데 기여하기를 바랍니다. EDM의 여정은 여기서 끝나지 않고, 교육 데이터를 통해 지속적으로 새로운 발견을 하고, 교육의 미래를 형성해 나가는 과정입니다. 여러분의 창의력과 헌신이 이 분야를 더욱 발전시키고, 교육에 긍정적인 변화를 가져올 것임을 확신합니다.

끝으로, 이 책이 여러분의 교육 실천과 연구에 영감을 주고, 교육 분야에서의 혁신적인 발전을 이끌어내는 데 도움이 되기를 바랍니다. 데이터를 통해서 우리는 교육의 미래를 어떻게 형성할 수 있는지 상상하는 것으로부터 시작해서, 실제로 그 변화를 만들어내는 여정까지 모두가 중요한 역할을 할 것으로 기대합니다.